プラズマ現代叢書 5

ナショナリズムの超克

晩年の黒田寛一はどうなってしまったのか

松代秀樹
桑名正雄 編著

プラズマ出版

ナショナリズムの超克——晩年の黒田寛一はどうなってしまったのか

目次

Ⅱ　革共同第四次分裂の地平 …… 51

〈表紙の絵〉ヨーロッパの労働者階級の闘い

椛　画

はじめに

九四歳の元日本兵は、「人を殺す兵器をもらうためのお願いに広島にくるとは何事か」、と静かに怒った。この人は十代の時には熱烈な軍国少年であり、「お国のため、天皇陛下のために命をささげよう」と決意し海軍の予科練にすすんだのであったが、特攻隊として飛び立つ直前に終戦をむかえたのだ、という。しかし、姉は赤子を抱えて満州で死んだ。母は号泣しつづけた。「この戦争は何だったのか。」……ロシアのウクライナ侵略に、われわれはどのようにたちむかうべきなのか。われわれは、このことをおのれ自身に問わなければならない。

「革命的左翼」を自称する者たちまでもが、「ウクライナの兵士・労働者・人民は、国家と民族と領土を防衛するためにたたかえ!」「欧米諸国は、プーチンの脅しにひるまず、ゼレンスキー政権に兵器をもっと供与せよ!」と叫ぶまでになった。これは、戦前の軍国少年の心情と同じではないだろうか。

一九五六年のハンガリー動乱を共産主義者として主体的にうけとめ、スターリン主義から決別することを決意した黒田寛一は、晩年には、「搾取する資本家も、搾取される賃労働者も、ともに日本人らしさを失っている」と嘆いた。これは、自己がプロレタリア的人間であることよりも「日本人」であることを大切にするものではないだろうか。これは、「階級」よりも「民族」を優位におく考え方である。彼は、プロレタリアートを信頼できなくなったのではないか。彼は、なぜ、こういうようになってしまったのだろうか。

いま、われわれは、あらゆるナショナリズムを超克することを、おのれに課さなければならない。「労働者は祖国をもたない」というマルクスの立場を、われわれはおのれ自身と二一世紀現代世界に貫徹しなければならない。

すべての労働者・勤労者・学生・知識人のみなさん！

本書に主体的に対決されんことを望む。

二〇二三年六月一日

編著者

Ⅰ

東西帝国主義の軍事的抗争を根底から打ち破るために

ウクライナのプロレタリア階級闘争の壊滅を突破するために

松代秀樹

一　戒厳令下での労働者の闘いの破壊と労働組合幹部の「祖国防衛」の名による屈服

われわれは、日本においてロシアのウクライナ侵略阻止の革命的反戦闘争を推進するためのわれわれの闘争＝組織戦術の内容を深化し豊富化していくために、そして同時にまた、われわれがウクライナの革命的プロレタリアの立場にわが身をうつしいれて、革命闘争論的立場にたち、ウクライナにおける階級闘争の指針を解明するために、ウクライナの階級闘争の分析を深化していかなければならない。

この分析を深化するために、われわれは、入手しえた文書を徹底的に批判し、これをとおして、ウクライナにおける階級関係および階級闘争の現状の一端を、再構成的につかみとるのでなければならない。

いま、ここに、国際労働財団（ＪＩＬＡＦ）の「メールマガジン」第六六八号（二〇二二年四月二八日付）がある。まず、これを対象として検討することが必要である。

ウクライナでの階級関係と階級闘争にかんして、それは次のように明らかにしている。

「ロシアがウクライナへ軍事侵攻する前、」「ゼレンスキー政権は労働法改悪を推し進めた。」その「内容は、労働者の権利を全面的にはく奪するものとなっており、大規模な抗議行動、国際連帯の力によって、法案はとりあえず却下された。」

「しかし、今年に入りロシアによるウクライナへの軍事侵攻が全てを変えた。ウクライナ国会は、三月一五日に法案「戒厳令下における労使関係の組織について」を採択、三月二四日ゼレンスキー大統領が署名し、法となった。」

それは、戦闘状態と戒厳令のもとでは、使用者は、労働者を解雇することができ、労働者に賃金を支払うことを停止することができ、さらに労使協定の効力を停止することができる、とするものであった。

「メールマガジン」の筆者は、このことを、怒りをこめて告発している、といえる。

ここに紹介されていることにしめされるものは、戦争を開始した国家権力による労働者からの諸権利の徹底した剥奪であり、労働組合の実質上の破壊である。

では、このことに、この筆者はどのように怒っているのであろうか。

筆者は言う。

「現場の労働者は、ウクライナの勝利のために懸命の努力を続けている。」「政権側は、労働組合の立場をよく理解し、組合の要求に応えるべきであろう。」

これが、筆者の提言なのである。ウクライナの労働者は、戦争での自国の勝利のために努力すべきだ、ということを大前提として、政権側はこの労働者の努力に報いよ、ということを言っているのである。だが、ゼレンスキー政権は、ロシアとの戦争の勝利に向けて、労働者を兵士として、あるいは戦争に必要な物資の生産部隊として動員するために、労働者の諸権利を剥奪したのである。この戦争によって利益を得るのは、ウクライナの国家権力者と資本家どもなのであって、労働者はその犠牲になるだけなのである。

筆者は、ウクライナの労働者と労働組合の立場を守るかのような言辞を弄しながら、これを煙幕として、結局のところ、労働者たちに、ウクライナ国家の勝利のために努力すべきことを勧めているのであり、ウクライナの国家権力者が、自分たちの利益のための戦争に向けて労働者・人民を国家として統合するために流布する「祖国防衛」のイデオロギーに唱和しているのである。

筆者がおのれの支柱としている価値意識は、「祖国防衛」という民族主義的で排外主義的なものなのであり、労働者階級の立場にたつもの、すなわちプロレタリア的価値意識なのでは決してない。それは、あらゆる国ぐにのブルジョアジーの利害を代弁するものなのであり、ブルジョアどもからおこぼれをもらう労働貴族の価値意識なのである。

筆者は、ウクライナの労働組合の指導者たちが、戒厳令下での労働者の諸権利の剝奪に完全に屈服したことを擁護し、その反プロレタリア性をおおい隠すために、この文章を書いているのである。

筆者は、ウクライナのナショナル・センター、ウクライナ労働組合総連合（ＦＰＵ）に所属するウクライナ郵便労組のスタロドゥブ委員長の発言を紹介している。

この委員長は、「ウクルポーシュタ（ウクライナの公的郵便事業）の労働者はさらに戦時のボランティア活動に従事し、防弾チョッキの部品を準備し、それを縫ったり、偽装作業用の網を編んだり、互いに助け合い、人道支援物資を届けたりしている。戦時下であり、労働組合としては、全国民がロシアとの戦いに勝つという目的のために一つになることが必要と考えている」、と言ったというのである。

これは、自労組の組合員である労働者たちを裏切って「祖国防衛」の立場にたち、労働組合を戦争遂行隊に変質させ、労働者たちを戦争の後方活動に積極的に動員した労組幹部＝労働貴族の自己正当化の言である。

このようなものを良いものとして紹介し労働者たちを戦争のために洗脳するのが、労働貴族を代表する筆者の階級的役割なのである。

筆者は、別のナショナル・センターであるウクライナ自由労働組合総連盟（ＫＶＰＵ）に加盟する教育労組のトカチェンコ副会長の発言をも紹介しているのであるが、これはもっと悪い。先の者の発言よりもさらにいっそう反プロレタリア的である。

この副会長は、「労組としては、受け入れるが、討論すべきという立場である。現在までの所、この法に基づいて労働者が首を切られたり、給与が支払われなかったりといったことは起きていない」、と言ったのだという。

これは、戦争を遂行している現政権を免罪するものであり、労働者たちを裏切り、攻撃に屈服した自分たちを正当化するものである。考えてもみよ。労働者たちは兵士として、あるいは後方部隊として動員されているがゆえにこそ、首を切られていないかのように見えているだけのことである。

筆者のこの紹介から見えてくるものは、ウクライナの労働組合の幹部たちは、ロシアとの戦争の勃発とともに、祖国防衛主義に転落し、労働組合を戦争遂行隊に変質させたのだ、ということである。

ウクライナのブルジョアどもの政権たるゼレンスキー政権は、ロシアとの戦争の勃発とともに、戒厳令を発し、これを基礎に「戒厳令下における労使関係の組織について」という法を制定して、労働者たちから彼らの諸権利の一切を剥奪したのであり、二つのナショナル・センターに加盟するあらゆる労組の幹部どもは、「祖国防衛」の名のもとにこの攻撃に屈服したのだ、ということである。

これが、現時点でのウクライナの階級関係および階級闘争の現状なのであり、悲痛にもウクライナの労働者たちが強いられている状態なのである。

このことを、われわれは「メールマガジン」の記事から読み取ることができるのである。

二　壊滅させられた階級闘争の現実を突破するために

ウクライナ・ヴェルホヴナ議会（ウクライナ最高会議）は、ロシアとの戦争を遂行するための戒厳令のもとで、二〇二二年七月末に、労働者からその諸権利を奪う二つの法案を可決した。

その一つは、すべての企業にたいして、労働者の一〇％までを「ゼロ時間契約」とすることができる、すなわち労働者は企業から呼び出しがあったときにのみ働くことができる(呼び出しがないときは無給)、とするものであった。

もう一つは、従業員数二五〇人未満の中小企業には国家労働法は適用されず、各労働者が企業と個別の労働協約を締結する、とするものであった。このばあいに、職場の労働者の解雇に拒否権を行使する労働組合の法的権限も取り除かれる、とされた。ウクライナの労働者の大多数は、この規模の企業で働いていた。しかも、大企業の資本家どもは、この法律が制定されたうえで、自企業を形式上この規模の諸企業に分割することを狙っていた。

ゼレンスキーの与党「国民のしもべ」は、労働者たちの反対をものともせず、労働者・人民をゼレンスキーのしもべとするために、「雇用の極端な過剰規制は、市場自主規制と現代の人事管理の原則と矛盾する」と主張して、この法案を通した。

ウクライナ議会は、「国民のしもべ」という名のゼレンスキーの党に支配され、日本の戦前の「大政翼賛会」と同じものと化していた。

国際労働組合総連合（ＩＴＵＣ：日本の「連合」も加盟する国際組織）と欧州労働組合連合（ＥＴＵＣ）は、あろうことか、いや労働貴族どもがにぎっている組織として当然のことと言うべきか、この労働者抑圧と労働組合破壊の張本人ゼレンスキーに、この法案に拒否権を発動することを訴えた。労働者を欺瞞するための茶番劇よろしく、戦争遂行の命令者であり資本家どもの利害の体現者であるゼレンスキーは、八月一七日に、この法律に署名した。

国際労働組合総連合のシャラン・バロウ書記長は次のようにのべていた。

「ウクライナの労働者たちが国を防衛し、負傷者や病人、避難民をケアしているのに、彼・彼女らは自分たちの議会から攻撃されている。これはグロテスクだ」、と。

この言辞は、労働者たちは自国を守るために戦い、またこれをささえるべきである、とする立場にたったものであり、議会は、労働者たちを戦争に動員するためにはもう少し労働者の身を案じているかのようにふるまうべきだ、と提言するものなのである。これは、戦争を遂行するための祖国防衛主義＝反ロシアの排外主義のイデオロギーをつらぬいたものであり、西側諸国の独占資本家どもの手先である労働貴族としてのみずからの階級的利害を貫徹したものなのである。

ウクライナの労働組合の幹部たちは、自労働組合の組合員たちを、戦闘に・あるいは・戦争の後方活動に駆りだしていた。

ウクライナには二つのナショナル・センターがある。

その一つはウクライナ労働組合総連合であり、ソ連邦時代の官製労組の流れをくんでおり、約二九〇万人の労働者を組織している。

もう一つはウクライナ自由労働組合総連盟であり、一九九三年に設立されたナショナル・センターであって、一六万余の労働者を組織している。

前者の幹部は、ゼレンスキーが諸法案に署名したあとで、「抗議やストライキが戦争と戒厳令のゆえに不可能である」、とのべた。これは、労働者たちを丸めこむための発言にほかならない。彼ら幹部どもは、組合員たちを戦争遂行のために動員し、労働組合を戦争遂行の後方隊に積極的に再編成してきたのだからである。

後者の幹部は、ゼレンスキー政権に行動上でも名目上でももっと協力的である。この総連盟の代表であり国会議員であるミハイロ・ヴォリュネッツは、「戒厳令が解除されたあとでも、これらの労働諸法制を、誰も完全に覆すことはできないだろう」、とのべたのだという。これは、労働者たちをあきらめの気持ちにみちびくための言辞であり、いまは労働諸法制のことなど考えずに戦争遂行に邁進せよ、と労働者の尻を叩くものなのである。

両者ともに、彼らの言辞と行動をつらぬいているイデオロギーは、祖国防衛主義＝反ロシアの排外主義そのものなのである。

両ナショナル・センターの幹部どもは、自分たちの労働組合と組合員たちを、国家権力者ゼレンスキーにさしだしたのだ、といわなければならない。

日本でたたかうわれわれは、ウクライナのこの階級的現実を直視し、この現実をどのように突破すべきなのかを、われわれ自身のプロレタリア世界革命の立場をつらぬいて考察するのでなければならない。

三　現代ウクライナのナショナリズムをうちやぶるために
――「ホロドモール」弾劾というイデオロギー

一九九一年のソ連の崩壊によって資本主義国家として独立したウクライナ、このウクライナの支配階級にのしあがり国家権力を掌握した人びとが、同じ支配階級に属する人びとや自分たちが支配する労働者・農民・その他の諸階層の人びとを国家として統合するために、幻想的な共同性をあらわすものとしてこれらのすべての人びとに貫徹したイデオロギー、これが現代ウクライナの独自のナショナリズムなのであり、その機軸をなすものが「ホロドモール」弾劾というイデオロギーなのである。

「ホロドモール」とは、ウクライナ語で「飢餓による殺戮」という意味をあらわす造語である。この言葉がさす物質的な対象は、一九三二年から三三年にかけてウクライナできわめて多数の餓死者が生みだされたという事態である。この「ホロドモール」という呼称には、この事態を、ウクライナもその構成共和国の一つをなしていたソ連、このソ連の指導部であったボルシェビキが、ウクライナ民族を絶滅するために大飢饉を意図的に人工的につくりだしたことによって生みだされたものなのだ、という意味がこめられているのである。

この事態をわれわれの観点から分析するならば、それは、スターリンが、農業を強制的に集団化しコルホーズをつくりだしたことを基礎にして、ソ連経済の急速な重工業化を目的とし、これを実現するのに必要な機械を輸入するために、コルホーズの農民から・彼らが飢えるのものともせず・穀物を供出させたこと（「飢餓輸出」と呼ばれる）、これによってもたらされた事態なのである。

ところが、一九九一年を結節点としてウクライナの支配者となった者たちは、この事態を引き起こした主体を、スターリンと彼が掌握したソ連指導部と把握するのではなく、このスターリンをレーニンを引き継いだものとして・レーニンが指導していたボルシェビキそのものと描きあげたのである。ウクライナの支配者たちは、そのうえで、そのボルシェビキは、大ロシア民族がウクライナの土地を奪うために、ウクライナ民族を絶滅することを狙って、大飢饉と飢餓を意図的に人工的につくりだしたのだ、という像をこしらえあげたのである。すなわち、彼らは、ウクライナの労働者たちと農民たちが、ソ連の過渡期（その第一段階と第二段階とをふくむ共産主義社会への過渡期の社会）の経済建設をどのようにおしすすめるのかという立場にたって、スターリンの・農業の強制的集団化政策の誤謬と、農民を犠牲にしての重工業化政策の誤りとをあばきだす理論的作業に踏みだす、という道を絶ったのである。ウクライナの新たな支配者たちにとっては、労働者たちや農民たちを、自分たちの支配する国家に統合するために、このような虚偽のイデオロギーを彼らに貫徹することがどうしても必要だったのである。だからまた、彼らは、一九三二年から三三年にかけては、大飢饉と餓死は、ソ連全域の農村で生みだされたものであったにもかかわらず、ウクライナでのみ生みだされたものと描きあげたのである。

このようなものとして、「ホロドモール」弾劾のイデオロギーは、反ソ連＝反ロシアの排外主義のイデオロギーなのであり、反ボルシェビキ＝反共産主義のイデオロギーなのである。それは、労働者・人民を国家として統合するための現代ウクライナのナショナリズム・イデオロギーなのである。

二〇〇五年にユーシチェンコが大統領に就任するとともに、当該の事態を「ウクライナ民族にたいする虐殺である」と認定する決議を議会で挙げた。

さらに二〇一五年には、ウクライナの支配者たちは、「ホロドモール」という認識に反する発言をしたり共産主義を主張したりした者は罰する、と規定した「反共産主義法」を制定した。

ウクライナの労働者・人民は、ロシアのウクライナ侵略を阻止するとともに、米欧日の帝国主義諸国の支援をうけたゼレンスキー政権による対抗的軍事行動への自分たち労働者・人民の駆り出しをうちやぶるために、そしてこの闘いをつうじて、ウクライナのプロレタリア革命を実現する組織的基礎を創造するために、「ホロドモール」弾劾というイデオロギーを基軸とするウクライナ・ナショナリズムからみずからを解き放ち、みずからをプロレタリア階級として組織し階級的団結をかちとるのでなければならない。

二〇二二年一二月一〇日

「ローザ主義者」さんへの手紙

栗山由仁

私たちの闘いの呼びかけに対して、「ローザ主義者」を名乗るあなたは次のように意見を寄せました。

「ウクライナで多くの人民が無差別に殺されていることになんの怒りもなく傍観するのはマルクス主義者としておかしいのではないでしょうか？」

私は、あなたの意見に同意することは全くできないものの、しかしあなたが何にこだわっているのかはわかる気がします。あなたは、侵略されているウクライナの人々に思いを馳せ、ロシア帝国主義――とあなたははっきり書いています――による侵略戦争をとにかく止めなければならないと念じるあまり、侵略に対して抵抗する〈ウクライナ〉を政府も民衆も全て一体のものとして捉えてその戦闘を支持しているのだろうと推察します。こうしたあなたの意見を、〈祖国防衛主義〉だと退けることは簡単です。しかし、反戦の声をあげている多くの心ある人々の中にあなたと同じような考え方が根強くあることを、私も知っています。

この間、私たちは、「革マル派」現指導部がゼレンスキー政権と西側帝国主義を尻押しする存在にまで成り下がったことを繰り返し弾劾してきました。一昔前までなら、革マル派と言わずマルクス主義者を自任する人間であれば〈祖国防衛主義〉と批判されただけですぐに第二インターの堕落を想起して、恥の感情を抱いたはずです。しかしそう批判されてもなお、そして自分でも問題の所在をおおよそは理解しながらもなお多くのメンバーたちが「革マル派」現指導部に追随したままでいるのは、実のところ彼ら・彼女ら組織成員たちもまた「ローザ主義者」さんと同じ問題に囚われているからではないだろうか。だとすれば、反スターリン主義運動を再構築する闘いを主体的に担おうと意志している私は、あなたの問題提起に対して真剣に向き合わなくてはならないと思うのです。

あなたが記しているように、「ブチャの惨劇やザポリージャ原発への攻撃、そして無差別ミサイル攻撃をやめさせるのは緊急の課題です」。全くその通りです。私は、ウクライナからわずかな荷物で逃れてきた母子が抱き合いながら涙を流し慰めあっている現場を直接目にして、胸の奥がきつく締めつけられる感覚をもったのと同時に、プーチンとその追従者たちに対する言いようのない憤怒を覚えました。今も変わらないこの感情を、「人の道」を説くあなたもきっと共有してくれるだろうと思います。

しかし、この愚劣な戦争とその悲惨を許せない者は「現時点ではゼレンスキー政権を支援するしか」ない、のでしょうか。ここに論争点があります。あなたは、「労働者が権力を握る社会を増やすことが戦争廃絶の道だと思います」と書いていながら、他方で「長期的な視点」なる言葉を使うことで、この「戦争廃絶」を〈今・ここ〉の問題から排除してしまっています。これに対して私は、「労働者が権力を握る社会」を〈今・ここ〉で建設し始めることがマルクス主義者としての「人の道」であると考えます。そんなのはユートピア的な戯言だと、あなたは嘲笑するでしょうか。しかし〈今・ここ〉でゼレンスキー政権を支持する他にないと言うなら、あなたはいつになったら「労働者が権力を握る社会」のために闘うのでしょう？

「労働者が権力を握る社会」を〈今・ここ〉で創出するとは、すなわち、プーチン政権による弾圧に抗して反戦闘争を展開するロシア国内の労働者階級を励起するのみならず、ゼレンスキー政権の総動員体制に組み込まれ戦闘に駆り立てられているウクライナ国内の労働者階級に対して西側帝国主義への幻想を断ち切るよう呼びかけることであり、かくしてロシア・ウクライナ間の国境を超えたプロレタリアートの団結を創造すること、これに他ならないと私は考えます。

たしかに、「ウクライナでは労働者をはじめとする一般人民が地域防衛のために命をかけて戦ってい」るのは事実でしょう。しかし、彼ら労働者たちがどれほど自らの生命をかけて故郷を守るために献身しているのだとしても、その戦闘は労働者階級の階級としての闘争では何らなく、あくまでも西側帝国主義に支援されたゼレンスキー政権によって組織された戦闘であり、つまりは西側諸国家が自らの人民に血を流させる代わりにウクライナの人民に血を流させている戦闘ではありませんか。それでもなおあなたは、ロシア軍による侵略に対する抵抗がゼレンスキー政権の指揮下でしかあり得ないと言い続けるのでしょうか。

あなたのヒューマニズムを否定することはできません。しかし、あなたの文章を読み返すにつけて感じるのは労働者階級に対する不信の念であり、それゆえに必然的となる、プロレタリア国際主義への不信です。この点で、あなたは「ローザ主義者」を名乗っていながらローザ・ルクセンブルク本人の思想とは全く乖離したところにいる。そのように私には思われてなりません。

あなたはこう書いています。「ローザ・ルクセンブルクの主張では、歴史的な条件が整えば労働者が自然発生的に立ち上がることになります」、と。

そんなことを彼女は一体どこで書いているのでしょう? おそらくあなたは、①レーニンが『何をなすべきか？』で「自然発生性への拝跪」を批判して労働者階級に対しての前衛党からの強力な指導を主張したことと、②ローザが『ロシア革命論』において憲法制定議会選挙をめぐるボリシェヴィキの政策の強引さを批判したこと、この二つの異なる事柄を重ね合わせて右のように要約したのだろうと思います。しかしローザがいわゆる「外部注入論」を否定したのはひとえに、彼女には、労働者階級の解放は労働者階級自身の事業であることへの確信があり、労働者階級が「外部」に依ることなく自分たち自身の思考と行動によって抑圧からの解放を実現することができるという信頼があったからです。彼女は、第一次世界大戦の勃発に際してプロレタリアートがナショナリズム・祖国防衛主義へと組織されてしまったことを「自然発生性」として傍観していたのではなく、むしろプロレタリアートをそうした方向性へと組織した第二インターの腐敗を厳しく批判したのでした（『ユニウス・ブロシューレ：社会民主党の危機』、一九一六年）。

これに対してあなたは、「ロシアの労働者が立ち上がって労働者政権を確立してくれれば一番良いと思いますが」と言いつつ、しかしその「可能性」が実際には低いから「現時点」ではゼレンスキー政権を支持する以外にない、と言う。これこそまさに、あなた自身が最初に問題にしていた「傍観」であり、そしてローザ・ルクセンブルクとは対極にある態度だと思いませんか。

以上、思ったことを書き連ねてみました。ぜひとも再考の上、あなたが私たちの戦列に結集されるよう私は望みます。

二〇二二年九月五日

レーニン「正義の戦争」論の政治的利用

山尾行平

一　レーニンからのペテン的引用

第60回国際反戦中央集会の基調報告論文（市原道人）で、ウクライナ戦争にかんして次のように述べられている。

「プーチン・ロシアによるウクライナへの一方的な侵略・蹂躙という現下の戦争は、かの第一次世界大戦とはまったく異なる性格をもつ。これは自明のことではないか。レーニンは、抑圧者たる「強国」の侵略戦争にたいして被侵略国側の国家が反撃の戦争を戦うのは「正しい戦争」であると喝破し、被抑圧民族の労働者階級は断固としてこの侵略者にたいする戦争をたたかえ、と檄をとばしたのである。」（『新世紀』三二一号）

ええっ、レーニンはこんなこと言っているのか、帝国主義戦争に正しいも何もないだろう、というのが一読した際の私の感想である。それにしても、こんな重大な発言に出典が明示されていないのが不思議であった。実は、この市原論文には下敷きがあり、それをなぞる際に伝言ゲームのようにレーニンがよりグロテスクに戯画化されていたのである。その下敷きの該当箇所は以下の通りである。

「そして、侵略されている国については事態はまったく異なることを、レーニンは明確にしている。

「……たとえば、明日にでも、モロッコがフランスにたいし、インドがイギリスにたいし、ペルシアか中国がロシアにたいして宣戦を布告したとすれば、こういう戦争は、どちらがはじめに攻撃をくわえたかには関係なしに、『ただしい』戦争、『防衛』戦争ということができるであろう。そして、社会主義者ならだれでも、抑圧され、従属させられ、同等な権利をもたないこれらの国が、抑圧者、奴隷所有者、略奪者の地位にある『強国』にたいして勝利をしめることに共感するだろう。」（レーニン『社会主義と戦争』国民文庫七八頁、傍点は引用者）

ウクライナは今ロシアに侵略されているのであって、この地で労働者・人民が対ロシアの戦争を断固戦うことは、レーニン流に言うならばまさしく「ただしい戦争」なのである。

労働者階級は、侵略され抑圧され従属させられている国や民族の内部においては、人民の先頭に立って戦わなければならない。」（『新世紀』三二〇号、中央労働者組織委員会（ＷＯＢ）論文）

なんだ、「社会主義者」が「共感するだろう」といっているだけで、レーニンは労働者階級に「正しい戦争をしろ」という檄なんてとばしてないじゃないか、びっくりさせないでもらいたい。しかし、「たとえば」で始まるレーニンからの引用は異様である。これでは「たとえば」以下が何の具体例として例示されているのかがさっぱりわからないではないか。

以下、大月書店版『レーニン全集』第二一巻から、ＷＯＢ論文では隠されている「たとえば」より前の部分を引用する。この『社会主義と戦争』は、ボリシェヴィキの戦争にかんする諸決議を解説するためにレーニンとジノヴィエフによって一九一五年八月に書かれた小冊子である。なお、全集では「ただしい戦争」ではなく「正義の戦争」という訳語が使われている。

「攻撃戦争と防衛戦争の違い」

「一七八九ー一八七一年の時期は、深い痕跡と革命の思い出をのこした。封建制度、絶対主義、外国の圧政が打倒されるまでは、社会主義をめざすプロレタリアートの闘争の発展ということは問題になりえなかった。社会主義者がこういう時期の戦争について「防衛戦争」の正当性をかたったばあいには、それはつねに、中世的制度と農奴制とに反対する革命に帰着する、ほかならぬこれらの目的を念頭においていたのである。社会主義者は、「防衛」戦争という言葉で、つねにこの意味での「正義の」戦争をさしてきた（W・リープクネヒトがかつてそういう言い現わし方をした）。ただこの意味でだけ、社会主義者は、「祖国擁護」あるいは「防衛」戦争が正当で、進歩的で、正しいことをみとめてきたのであり、またいまでもみとめている。たとえば、（以下、WOB論文での引用部分に続く）」

ここでレーニンが挙げている一七八九年から一八七一年という時代区分は、フランス革命からパリ・コンミューンまでを指し、そこでは「戦争の一つの型として、ブルジョア進歩派の民族解放戦争があった」のであり、その歴史的意義は絶対主義と封建制度の打倒にあった、とレーニンはいう。そして、レーニンは封建制を打倒し民族国家を樹立したそれらの民族解放戦争を「真の民族戦争」と規定し、「欺瞞的な民族的スローガンで隠蔽された帝国主義戦争」と区別して「正義の戦争」と呼ぶ。

この時代とは区別される第一次世界大戦下の一九一五年の時点においては、イギリス、フランス、ドイツなどの西ヨーロッパ諸国では「民族運動は遠い過去のものになっている」のに対し、ウクライナなどの東ヨーロッパでは「民族運動はまだ完了しておらず」まだ進行中であり、植民地での民族運動はさらに遅れていた。だからレーニンは、帝国主義戦争交戦国での祖国擁護を「ブルジョア的欺瞞」として否定する、と同時にその反面で、東ヨーロッパや植民地の来るべき民族解放戦争も「正義の戦争」とするのである。

そうすると、一七八九年から一八七一年の時代にすでに達成された西ヨーロッパでのブルジョア革命と、一九一五年当時未達成の東ヨーロッパおよび植民地諸国でのブルジョア民主主義革命との関係が問題になる。レーニンはどちらも「正義の戦争」としているのだが、前者の打倒対象が絶対王政と封建領主であるのに対して、後者の場合には帝国主義諸国による植民地支配からの解放が課題となるのだからである。両者は、戦争の物質的基礎も戦争を戦う階級も異なり、そもそも両者を一括して規定するのには無理がある。さらに、個々の戦争を個別具体的に検討しないことには正しさの内実も明らかにはならないのであるが、とりあえず、レーニンは、歴史的過去に達成されたブルジョア革命やいま直面しているブルジョア民主主義革命の進歩性、それのもつプロレタリア革命にとっての積極的意義に着目して、両者をともに「正義の戦争」としていること、および、「遠い過去」のものとなった「進歩的ブルジョアジー」による民族解放戦争」たる前者よりも、進行中の東ヨーロッパと植民地諸国での帝国主義の抑圧に抗する民族解放戦争にレーニンの問題意識が向けられていること、この二点が確認されればよいだろう。

「帝国主義強国、すなわち抑圧者的強国にたいする、被抑圧者（たとえば植民地民族）の戦争は、真の民族戦争である。そういう戦争は、こんにちでも可能である。抑圧民族の国にたいして被抑圧民族の国が「祖国を擁護」することは、欺瞞ではない。だから、社会主義者は、このような戦争における「祖国擁護」にけっして反対しない。」(レーニン『マルクス主義の戯画と「帝国主義的経済主義」とについて』)

要するに、レーニンは帝国主義戦争における祖国防衛主義を厳しく否定しつつ、未だブルジョア革命が達成されていない東ヨーロッパおよび植民地諸国での民族解放戦争を、プロレタリアートが「同情」ないし「共感する」対象として、あるいは「けっして反対しない」ものとして限定的に評価したのである。なぜなら、レーニンにとって「反帝国主義的民族運動」は二段階革命の第一段階をなすブルジョア民主主義革命の一契機としてプロレタリアートが利用すべきものだからである(レーニン『自決にかんする討論の総括』)。

以上がレーニンによる「正義の戦争」論の概略であるが、問題は、WOB論文でのレーニンの引用の仕方と、レーニンの論述の意味づけなのである。

第一に、筆者が具体例としての植民地での民族解放戦争の記述のみを引用して、その前の部分を黙殺したことの問題性について。すでにみたように、そこでは「中世的制度と農奴制に反対する革命」、すなわちブルジョア革命あるいはブルジョア民主主義革命に帰着する目的をもった戦争が「正義の戦争」であり、「ただこの意味でだけ」祖国防衛に正当性がある、と述べられている。一言で言えば、ここでレーニンのいう「正義の戦争」とはブルジョア民主主義革命の実現をめざした民族解放戦争である。

このようなレーニンの展開を読むと当然、あれっ、これってゼレンスキーの戦争と何か関係あるのか、という疑問がわくだろう。まさか成熟した民族国家である現在のウクライナでブルジョア革命が未達成とはだれも思わないであろうし、したがって、「たとえば」以下の引用箇所の前の本体にあたるレーニンの論述は、どうころんでもゼレンスキーの戦争、同じことだが「ウクライナ労働者人民の戦争」の正当性の論拠にはなりえないのである。だから、引用を「たとえば」で始める無理をしてでもＷＯＢ論文の筆者はこの部分を隠したのである。

第二に、「たとえば」以下の引用で筆者が意図したこと。引用個所の直前に筆者は「侵略されている国についでは事態はまったく異なることを、レーニンは明確にしている」と書き、レーニンが戦争の正当性の基準に「侵略されている」ことを据えているかのように読者を誘導する。そのうえで、引用部分をまとめた地の文で「ウクライナは今ロシアに侵略されているのであって、この地で労働者・人民が対ロシアの戦争を断固戦うことはレーニン流に言うならばまさしく「ただしい戦争」なのである。」と結論づけるのである。

筆者はどうしても「侵略されている」ことを「ただしい戦争」の判定基準にしたいようだ。それだけでなく、「侵略され抑圧され従属させられている国や民族の内部においては」というように戦争の正当性の判断基準の範囲を「侵略されていること」から「抑圧されていること」、さらには「従属させられていること」へと、何も説明しないまま拡大するのである。おそらく、引用部分でレーニンが「抑圧され、従属させられ」と書いているのを利用し、その直前に筆者にとってのキーワード「侵略され」をおしこんだのだろう。

侵略・被侵略、抑圧・被抑圧、従属・被従属をいくら言っても戦争の正当性を主張することはできない。もちろん、レーニンもそんなことを言うわけがない。

「俗物は、戦争が「政治の継続である」ことを理解しない。だから、「敵が攻撃した」、「敵がわが国に侵入した」などということばかりにこだわって、戦争がなにがもとで、どの階級によって、どんな政治目的のためにおこなわれているかを検討しない。」（レーニン『マルクス主義の戯画と「帝国主義的経済主義」とについて』）

ＷＯＢ論文の筆者が引用した『社会主義と戦争』でのレーニンの展開に沿って言えば、東ヨーロッパおよび植民地諸国での民族解放戦争の階級的本質はブルジョア民主主義革命を志向するものであり、その点で「正義の戦争」とされるのだ。侵略・被侵略や抑圧・被抑圧といった現象はそのような戦争の性格からもたらされたものであって、その逆ではない。

ＷＯＢ論文は、①植民地諸国での来るべき民族解放戦争の階級的性格にかかわるレーニンの論述を隠蔽し、②物質的基礎や階級的諸実体を抜き取り戦争一般に還元したうえで、そのような戦争一般と現下のロシアによるウクライナ侵略をめぐる帝国主義戦争との双方から侵略・被侵略という「共通性」をとりだして、ウクライナもレーニンが言っている「ただしい戦争」と同じだよねと言いくるめているわけである。彼らがこのような詐欺的手法をとってまでレーニンを利用するのは、そうしないと自分たちのウクライナ戦争論が瓦解するからである。

ちなみにＷＯＢ論文のこのレーニン詐欺に真っ先にひっかかったのが国際反戦中央集会の基調報告者（市原道人）である。レーニンは別に侵略されている側が反撃するのが「正しい戦争」であるなどと「喝破」していないし、労働者階級に断固としてこの戦争を戦えと「檄」をとばしてなどいない。そうではなくて、レーニンがとばした檄は「われわれはすべての交戦国と戦争の脅威下にあるすべての国のプロレタリアートと被搾取者にたいして、祖国防衛の拒否を提議する。」（レーニン『戦争問題にたいする原則的規定』）であった。そもそも『社会主義と戦争』執筆時点で、ＷＯＢ論文での引用箇所であげられているモロッコ対フランス、インド対イギリス、ペルシアまたは中国対ロシアの植民地解放戦争は起きていない。市原論文によると、存在しない戦争に労働者階級は参戦せよとレーニンは檄をとばしたというわけだ。「おまえたちは現実世界に生きてはいない」（『新世紀』三二一号「粉砕せよ」論文第二回）という言葉を返そうか。

二　レーニンのいう戦争の正当性

ここで「革マル派」中央官僚派ではなくレーニンその人が戦争の正当性についてどのように考えていたのかをみておく。

レーニンが無条件に正義の戦争とするのは、もちろん賃労働と商品経済の廃絶をめざすプロレタリア革命である。ＷＯＢ論文で詐欺に利用された『社会主義と戦争』でも冒頭で「ブルジョアジーにたいする賃金労働者の戦争の正当性、進歩性、必然性」を「われわれは完全に認める」と宣言する。プロレタリア革命は「歴史が知っているかぎりの一切の戦争のうちでも、唯一の合法則的な・正当な・正義の・真に偉大な戦争である。」（レーニン『ペテルブルグ戦闘の計画』）それは、一九一五年当時には帝国主義戦争を、「資本家階級の収奪をめざし、プロレタリアートによる政治権力の獲得をめざし、社会主義の実現をめざす戦争」（レーニン『ツィンメルヴァルド左派の決議草案』）としての内戦に転化させるものとして展望されたのである。ここでは戦争の正当性を議論する余地はない。

問題となるのは、プロレタリア革命以外の諸類型の戦争である。レーニンは『よその旗をかかげて』などにおいてフランス革命以後当時までを三期に時代区分して、戦争の類型を論じている。第一期は一七八九年から一八七一年の「ブルジョア民族運動の時代」、第二期は一八七一年から一九一四年の進歩的ブルジョアジーから「もっとも反動的な金融資本への移行の時代」、第三期は一九一四年以降の「帝国主義の時代」とされる。レーニンの問題意識は、戦争が進歩的であるかどうかにおかれ、戦争の類型ごとに正当性が論じられる。

① 第一期における「ブルジョア進歩派の民族解放戦争」。これは「真の民族戦争」と評価される。ブルジョア革命に帰着するという点で「正義の戦争」であるが、その正当性は過ぎ去った過去の時点での問題にすぎない。

② 第三期における帝国主義戦争。これは帝国主義諸国間で勢力圏を再分割する戦争であり、「古い強盗国であるイギリス、フランス、ロシアに向かって、若くて非情に強い強盗国ドイツが、掠奪した獲物をゆずるよう要求してひきおこされた戦争」（レーニン『I・S・K召集第二回社会主義大会に宛てたロシア社会民主労働党中央委員会の提案』）である。植民地のよりいっそうの搾取、国内の他民族に対する圧政、プロレタリアートに対する搾取の強化という点で反動的であり、戦争の正当性は問題にならない。

③ 第三期における東ヨーロッパと植民地諸国での民族解放戦争。①と同様に、これらの戦争もブルジョア民主主義革命をめざす「真の民族戦争」として「正義の戦争」である。

以上をまとめると、レーニンにとって戦争の正当性の基準は、プロレタリアートの階級的利害という一点におかれているのであり、したがって「正義の戦争」と無条件に規定しうるのはプロレタリア革命とそれに先立つ内戦だけである。それにプラスして、ブルジョア民主主義的な進歩性から民族解放戦争にも、プロレタリアの階級的利害に従属させるかぎりにおいて、一定の正当性をレーニンは認めるのである。

ところが、WOB論文や市原論文で言われている「ただしい戦争」の規定は侵略に対する反撃だけなのであり、レーニン的なプロレタリアートの階級的利害も、民族解放戦争のプロレタリア革命にとっての積極的意義も述べられていない。引用の直前の民族解放戦争が「ただしい戦争」であるというレーニンの論述を隠蔽したのだから、あとに残るのは無内容な侵略・被侵略の関係でしかなくなるのである。まるで外側に「戦争」と書かれた空っぽの袋があり、中が二つに仕切られていて、一方には「侵略入れ」、もう一方には「被侵略入れ」というラベルが貼ってあるようではないか。

レーニンはいう、「攻撃を受けた国は防衛する権利をもつ」というのは詭弁であり「まるでかんじんな点は、どちらがさきに攻撃したかであって、戦争の原因、戦争のめざしている目的がなにか、どの階級が戦争をしているのかという点ではないようである。」（レーニン『ボリス・スヴァランへの公開状』）

ここでひと言つけくわえておく。中央官僚派は自分たちの祖国防衛主義を批判されると、口をそろえて「では、どうしろというのか」とか「現にいま侵略軍に同胞を殺されながらも身を賭してたたかっているウクライナの労働者・人民を見殺しにせよ、というにひとしいではないか！」（『新世紀三二〇号』越山論文）というように情緒的に反応する。だが、それは第一次世界大戦当時の祖国防衛主義者とかわらない。これに対してレーニンは、「祖国防衛の義務を原則的に認めるか、それともわが国を無防備におくか」という問題の立て方は「根本的に正しくない」としたうえで、それを「心の底までブルジョア的」と非難する。そして「現実において問題はつぎのように立てられている。帝国主義的ブルジョアジーの利益のために自分で自分を殺すか、それとももっと少ない犠牲で銀行を奪取し、ブルジョアジーを収奪するために、一般的に物価騰貴と戦争に終止符を打つために、被搾取者と自分自身との大多数を系統的に育成するか。」(レーニン『祖国防衛問題の立て方によせて』)、というように階級的利害のいかんを基準に祖国防衛主義を批判したのだった。ヒステリックに情緒的な言葉を吐き出すまえに、レーニンの原則的批判を受けとめるべきではないか。

三　プロレタリア的階級性の蒸発

「革マル派」中央官僚派は、交戦国を侵略・被侵略という観点で分け、「侵略され踏みにじられている労働者・人民の立場にわが身を移し入れ」(『新世紀三二〇号』WOB論文)るのだという。だが、そこでは「その戦争がどのような歴史的条件から発生したか、どのような階級が戦争を行っているか、何のために行っているか」(レーニン『戦争と革命』)という把握が抜け落ちる。彼らがいうウクライナ戦争の実体構造とは、「誰が誰を侵略しているのか。プーチンの軍隊がウクライナになだれこみ一方的に蹂躙している」(『新世紀』三二一号「粉砕せよ」論文第二回)ということにすぎない。こうして戦争から歴史性と階級性が脱落し、中身がすかすかな超歴史的な戦争一般のようなもののなかで、悪い侵略者とそれに抵抗する正義を探すことになる。現下のウクライナ戦争にかんしては、侵略者である「今ヒトラー」「スターリンの末裔」プーチンにウクライナ民族が抵抗しているという図式である。

ここから、第一に、中身の抜けた無規定の戦争どうしを対比させ、第一次世界大戦当時のレーニンが正義の戦争と認めた民族解放戦争と、現下の東西帝国主義の激突のもとでの資本主義国ウクライナのゼレンスキー政権の戦争とを同じものに見せかけるという詐術が動機づけられるのである。もちろん、それは、まじめな労働者、学生が『レーニン全集』第二一巻から二三巻の諸論文を検討すればすぐに露見する程度のペテンである。だから中央官僚派が苦し紛れに今度はゼレンスキーの戦争を民族解放戦争の現代的形態とかと言い出しても驚くにはあたらない。

第二に、階級性が抜き取られた戦争の把握であるがゆえに、「共存共苦」とか「内在的超越の論理」などといっても、彼らが降り立つのは戦時体制で過酷な搾取に苦しむプロレタリアートの労働現場ではなく、はじめからゼレンスキーに指揮されたウクライナ軍の戦闘現場に限定される。米英帝国主義に支援されたウクライナ民族主義者ゼレンスキーによって動員され、ウクライナ・ブルジョアジーの利害のために軍服を着せられてウクライナ軍として戦うことを強いられているのがウクライナのプロレタリアートである。ウクライナ・プロレタリアートとウクライナ・ブルジョアジーの階級対立を「分かりきっている」と言いながら、諸階級を丸ごと含んで「ウクライナの国軍・志願兵・住民自警団が一丸となって遂行している「祖国防衛戦争」」（『新世紀』三二九号小川論文）でのウクライナ軍の戦果を誇る司令官さながらの軍報のような記事を「解放」に載せることを中央官僚はためらわない。

ウクライナ・プロレタリアートの階級的な怒りは、ブルジョアどもによって日々賃金労働者として搾取されたうえに東西帝国主義の激突のもとでの戦争に動員され自らの生命が虫けらのようにあつかわれているることに発するのであって、これはロシア軍に兵士としてかりだされているロシアのプロレタリアートも同様である。「労働者は自分の事業のために犠牲になることは結構であるが、他人のために犠牲になってはならない」と一九一六年当時のボリシェヴィキは言っていたという(レーニン『I・S・K召集第二回社会主義大会に宛てたロシア社会民主労働党中央委員会の提案』)。労働者階級が死に物狂いで戦うのは二段階革命の一段階目に位置付けられたブルジョア民主主義革命(およびそれを目指した民族解放戦争)においてではなく、プロレタリア革命においてなのだという意味である。ところがWOB論文はどのような性格の戦争においてなのかを意図的に不明にしたままいう。「労働者階級は、侵略され抑圧され従属させられている国や民族の内部においては、人民の先頭に立って戦わなければならない」(『新世紀三二〇号』)と。だが、民族解放戦争ならまだしも、東西帝国主義の勢力圏再分割のための戦争でプロレタリアートは「他人のために」すなわちブルジョアジーのために命を捨ててはならないのである。ウクライナの地に降り立って「ただしい戦争」を戦うウクライナ兵に憑依したところで、この戦争の階級性がおさえられない限り「共存共苦」はレーニンいうところのブルジョア・センチメンタリズムに堕すほかない。

かつて「新しい歴史教科書をつくる会」の執筆者は、自由社版中学歴史教科書で白村江の戦いを「日本の軍船四〇〇隻は燃え上がり、空と海を炎で真っ赤に染めた」と——日本の兵士は自分の命を天皇に捧げたのだと賛美するために——見てきたように書いた。「革マル派」中央官僚諸氏もタイムマシンに乗って数多の「血みどろの現実場」に降り立ってくれればいいではないか。

二〇二二年一一月一一日

国際的な理論闘争からの逃亡

ロッタ・コムニスタの文章はどう切り刻まれたか

春木　良

昨二〇二二年の第60回国際反戦集会にあたって「革マル派」中央官僚は、NATOを構成する西側の帝国主義国家権力者らがプーチンに対して「怯んだ」ことを非難し、ゼレンスキー政権への武器輸出を加速させるよう要求した。マルクス主義を標榜する組織は世界中に数あれど、ここまで公然と西側帝国主義のプロパガンダを素直に受け入れたのは「革マル派」中央官僚派くらいのものである。彼らは、自分たちこそが「スターリンの末裔＝プーチン」に真正面から対決できる「反スタ」左翼なのだと自負（？）しつつ、ウクライナ「防衛」を支持しない他の左翼諸潮流の「混乱」「対応不能」を罵ってはばからない。

そうした彼らの態度を〝理論的〟に基礎づけたもののひとつが、昨年五月二二日付の中央労働者組織委員会（WOB）論文（「自称「左翼」の錯乱を弾劾しウクライナ反戦の炎を！」）である。ここで中央官僚は、「ウクライナ軍」と共に「勇猛果敢に」ロシア軍と戦闘している「ウクライナの労働者・人民」を支援することこそが「左翼」の任務であると主張した。彼らは、〈誰が侵略し・誰が侵略されているのか〉を強調してウクライナを丸ごとひとつの「被侵略国」として措定し、ゼレンスキー政権が西側帝国主義の利害を代弁していることも、ウクライナのブルジョアジーが労働運動を徹底的に弾圧していることも、全て不問に付した。「革マル派」中央官僚は、ウクライナ国内の階級闘争から下部メンバーらの目を背けさせることによって、ゼレンスキー政権尻押し運動へと彼らを動員したのである。戦争が始まった途端に階級闘争を放棄して「国民」一丸となってブルジョア国家を守ろうと呼びかける立場を、一般に「祖国防衛主義」あるいは「民族排外主義」という。まさしく、かつての第二インターナショナルばりに祖国防衛主義へと転落した「革マル派」中央官僚は、そのことを弾劾したわが探究派を、マルクス主義の「二、三のテーゼのようなものを枠にアテがって、ウクライナ情勢を評論しているだけの俗物なのだ」と書いた（「解放」二七三一号、二二年八月一五日付）。勇ましい彼らの口先は、だが実のところ、小心者としての精神的本質のあらわれである。読者から寄せられた通信が、このことを改めてわれわれに教えてくれた。

1　「（中略）」とされたメッセージ

ウクライナ民族主義の前に拝跪し、ゼレンスキーとＮＡＴＯの応援団と化した者たちの主催した「国際反戦集会」――六〇年前に〈米・ソ核実験反対！〉を掲げて闘ったとき以来のわが革命的反戦闘争にまたしても泥を塗った昨年の集会には、にもかかわらず少なからぬ諸団体・諸個人がメッセージを寄せてきた。例年、メッセージはまず集会当日に参加者へ翻訳付きで配布された後、「解放」紙上で何度かに分けて日本語訳が掲載され、そして『新世紀』に原文が掲載される。これらメッセージが集会実行委員会の意に沿うものだとは限らない。それでもなお、異なった見解や批判はそのままにして公表されるのが、これまでの常であった。実際、一昨年・第59回の集会に対してインドの「ファリダバッド労働者新聞」が、集会実行委員会の掲げた「イスラミック・インター・ナショナリズム」のスローガンを全く正当にも批判したとき、彼らのメッセージは、一部が省略されながらも主張の骨子は歪曲されずにそのまま公表されていた（「解放」二六八五号、二一年九月一三日）。寄せられたメッセージがたとえ異なる意見を含んでいたとしても、それは組織内および組織間での討論に委ねるべきであり、余計な手を加えるのは組織成員に対しても先方の組織に対しても不誠実である。ここ数年にわたって腐敗を深めてきた「革マル派」中央官僚たちといえども、この一線は守ってきたのだった。しかし、昨年・第60回集会においては、この一線が越えられたのである。

何が起こったのか、事の詳細を私がようやく知るに至ったのは、迂闊にも最近のことだった。教えてくれたのは、匿名の読者である。その人は、イタリアのグループ「ロッタ・コムニスタ」が昨年・第60回集会に寄せたメッセージに着目するよう提案してきた。少しいぶかしみつつも検討したところ、次のことが判明した。

（1）「解放」二七三五号（二二年九月一二日付）に掲載されたロッタ・コムニスタの文章（日本語訳）は、「（中略）」という表記で、全文掲載ではないことが示されている。記事は「ロシア、ウクライナ、万国の労働者は団結しよう」という題で、これは編集局がつけたものである。

（2）今年一月付の『新世紀』三二二号に掲載されたロッタ・コムニスタの文章（原文英語）には、「（…）」とだけ記されている部分がある。これもやはり、全文掲載ではないことを示すものである。「解放」に載った日本語訳よりも分量が多い。

（3）「革マル派」の公式ホームページ（英語版）では、ロッタ・コムニスタから送られてきた文章が、中略の断り書きなしに掲載されている。『新世紀』掲載分よりも分量が多く、部分的に削除した形跡も特にないため、これが完全版であると思われる。単語数にして三六〇〇程度、文字を詰めてＡ４用紙で印刷して五－六頁分になる長文である。これをもとにして確認すると、『新世紀』掲載分では全体の内およそ三分の一相当の一二〇〇単語分の文章が削除されていることが判明する。

2　〝共感〟の捏造と理論闘争からの逃亡

国外の団体から寄せられたメッセージにそれなりの分量がある場合、文意を損なわない限りで一定の調整を行うことは、一般的にはやむを得ないことではある。「解放」は――「革マル派」総体としての理論的水準が低下したことにより――六頁建てに減らされているのだから、さしあたり「中略」で対応するという判断を編集局が下したならば、それもまた理解できることである。しかし、紙幅を比較的自在に変更できる『新世紀』で原文を削除するとは、一体どういうことなのか。そして何よりも問題なのは、その切り取り方である！

まず「解放」に掲載されたロッタ・コムニスタからのメッセージを読んでみよう。その文面だけを漫然と眺めていると、このグループの主張は「革マル派」のそれと大きくは変わらないように見えるかもしれない。例えば、この部分のように。

「同志諸君、諸君はアピールのなかで「ウクライナとロシアの労働者人民は、両民族のプロレタリアート・農民・兵士が合流したあの一九一七―一八年ソビエト革命の精神を甦らせて、互いに連帯してたたかおうではないか」と、ウクライナとロシアのプロレタリアートの団結を呼びかけている。諸君が書いているように、帝国主義戦争を真に阻止できる力は、「ただウクライナ労働者人民、ロシア労働者人民、そして世界の労働者人民の共同した闘争だけである」ことを歴史的経験は示している。これが、世界のボルシェヴィズムが示した、戦争に反対し、革命に向かう道なのだ！」

ここだけを読めば、ロッタ・コムニスタは「革マル派」に共感を寄せているかのように読めてしまう。たしかに彼らは、国際反戦集会実行委員会の発した海外アピールを注意深く読み、その文言をきちんと引用して、ウクライナ反戦闘争を共に展開しようと呼びかけている。「解放」編集局が付けた記事タイトル「ウクライナ、ロシア、万国の労働者は団結しよう」もまた、このグループが「革マル派」にさしたる異論を持っていないかのように印象付けるものだ。だが、次の部分はいかにも不自然である。

「同志諸君、「アピール」において諸君は、「大国」の侵略にたいする「被抑圧民族」の「正義の戦争」にかんするレーニンの立場を提起している。「不屈の戦うウクライナの労働者人民・兵士と固く連帯する」、と諸君は表明している。「侵略者にたいして戦うウクライナ人民を孤立させるな！」と諸君は言う。「一般民衆と結びついたウクライナ軍の強さ」を諸君は見る。

さらに諸君は、ウクライナ労働者たちに向かって、「労働者階級が中核となり、軍と領土防衛隊と住民・義勇兵が一体となって」ロシア軍を撃退せよ、と呼びかけている。そして最後に、自称「左翼」――親ロシアの立場をとる者（スターリン主義的郷愁にとらわれている）も中間主義的立場をとる者も――の腐敗を弾劾している。これらの諸点、とりわけレーニンのスローガンについて、すべての国際主義的諸潮流のあいだでの突っこんだ理論闘争が必要である。なぜならば、帝国主義戦争の連鎖が進行し、世界戦争という次なる大惨事の勃発をまえにして、不意をつかれることがないように、できるだけ早く、これらの諸問題と革命の展望が、広く論議されなければならないからである。

（中略）」

ロッタ・コムニスタは「理論闘争」を呼びかけているのに、ここで唐突に「（中略）」が来るのは一体どうしたことか？　こうなると、レーニンの「正義の戦争」論を利用してウクライナ「軍」の戦闘を美化する「革マル派」に対する異論が「（中略）」されているのではないか、と思えてくる。そこにはよほど都合の悪いことが書かれているのだろうか？　ちなみに「革マル派」中央官僚は、さきに言及した五月のWOB論文において、このロッタ・コムニスタを「マルクス主義への無知蒙昧」に属するものとして、次のようにこき下ろしていた。

「たとえば、「ウクライナにもブルジョアとプロレタリアがおり、ロシアにもブルジョアとプロレタリアがいる」（イタリア・ロッタコムニスタなど）、だから「挙国一致はオカシイ」と言う。あるいは「労働者は祖国をもたない」という『共産党宣言』におけるマルクスの言葉をもちだして、ただただ「国際主義を」と主張する（トロツキストたちに多い）。だが彼らは、「労働者は祖国をもたない」というプロレタリア的存在についての本質論だけを振りまわしこれを現に今生みだされているウクライナ侵略戦争問題に投影しているだけであって、そこでは民族問題をマルクス主義者はどう考えるのかということを完全に考察のらち外に追いやってしまっているのである」

〈民族問題をマルクス主義者はどう考えるのか〉を没却した無知蒙昧、そのように罵倒した相手から、まさしく民族問題についての理論闘争が要求されたことに、「革マル派」中央官僚は動揺したのだろうか。彼らが削除した文章を具体的に検討してみよう。

3　「(中略)」として削除されたのは何か

「革マル派」英語版ホームページ掲載分を元に、ロッタ・コムニスタのメッセージのうち「革マル派」中央官僚らが隠蔽したものを再構成すると、次のようになる。

(一)マルクス主義者は、民族独立の要求＝「民族問題」を無条件に支持してきたのではない。一八四八年革命においてマルクスとエンゲルスが民族ブルジョアジーの民主主義革命に肯定的な評価を与えたのは、それが中世的封建制を打倒する進歩的な闘争だったからであり、そしてレーニンが民族自決権のスローガンを掲げたのは、植民地支配からの解放を目指す民族独立運動が帝国主義打倒の闘争を推進する有力な部分だったからである。「マルクス主義にとって「民族問題」とは常に、原則の問題ではなく、階級闘争の問題だった。すなわち、プロレタリアートが民族問題を有効利用する可能性の問題だったのだ。したがって、プロレタリアートの国際的闘争を利するような民族ブルジョアジーの主張のみが、マルクス主義によって支持されるにすぎない」。

(二)しかし帝国主義の世界支配下で諸産業が完全にグローバル化した二〇世紀後半にあっては、「新興地域の民族問題でさえ、その具体的な重要性を失う」。ブルジョアジーとプロレタリアートの間での階級闘争は国際化しており、一国内にとどまるものではない。こうした条件のもとで、帝国主義諸国家は、各地域の民族的・国民的独立の要求を、自らの勢力圏獲得のために利用している。これはウクライナでも同じことであって、ＥＵとＮＡＴＯはリヴィウを拠点としたブルジョアジーを利用し、「ロシア帝国主義」はドンバスと東部地域のブルジョアジーを利用している。「同志諸君、夜が昼に続くのと同じように、資本主義において平和と戦争は絶えず交互に繰り返されるのであり、それらは同じコインの裏表である。ウクライナにおける帝国主義戦争は、帝国主義時代において民族問題が最早過去のものとなったことについて、革命家たちに再び省察を促す。これは決して偶然ではないのだが、「ウクライナ問題」と題した一九三九年四月の文章においてトロツキーは、「ある帝国主義に対抗して別の帝国主義に奉仕することによってウクライナ問題を解決しようと提案した「民族主義者」（！）を攻撃し、「帝国主義の時代における」民族問題の変質について警告したのである」。

（三）「帝国主義時代において民族問題が最早過去のものとなったこと（the exhaustion）」についてのトロツキーの探究を、われわれは今日さらに発展させる必要がある。今日プロレタリアートの闘争は、マルクスとエンゲルスの時代とは異なり、ブルジョア的な民族的要求とのつながりをもたない。「革命戦略は、世界中どこにおいても「民族問題」なしでやっていける。プロレタリアたちが民族ブルジョアジーのために闘うよう強いられることは最早ない。民族ブルジョアジーのために戦うなら、プロレタリアたちは帝国主義勢力によって利用されることになるからである」。共産主義者は「ウクライナの国民的結束」「ウクライナ軍とウクライナ・プロレタリアートの政治的一体化」に反対し、「搾取されたウクライナ大衆の政府に対する反抗」を支持するべきである。

4　帝国主義戦争反対のスローガンを掲げてたたかおう！

このように「解放」ならびに『新世紀』が削除した部分において、ロッタ・コムニスタは、「革マル派」中央官僚に対する詳細な反論を提供していたのである。われわれもまた「正義の戦争」論に関するレーニンの文章を再検討して同様の結論を確認してきたところであり（山尾行平「レーニン「正義の戦争」論の政治的利用」二〇二二年一一月一一日執筆）、今回イタリアの同志たちが右のようにメッセージを寄せていたことを——遅ればせながらも——知って、とても心強く思う。

その主張は、改めて繰り返すまでもなく明快である。彼らが指摘するように、共産主義者は国民国家独立の要求を無条件に支持するのではない。今日、「プロレタリアートが民族的要求を利用することは、帝国主義勢力によって掌握されることなしには不可能であ」って、革命的左翼は、国民国家防衛のための戦闘ではなく自国政府打倒の闘いへとプロレタリアートを組織するべきなのである。

ＮＡＴＯによる軍事支援反対・ゼレンスキー政権打倒を呼びかけるからといって、そのことはしかし、「革マル派」中央官僚が主張するような「〈プーチンの戦争〉の随伴者となってしまう」ことを決して意味するのではない。われわれはロシア帝国主義・プーチン政権によるウクライナ侵略戦争を何よりも真っ先に弾劾する。ウクライナの地におけるロシア軍の蛮行に憤怒を覚えつつ、殺害された人々、国境を越え避難した人々、今なお生存の危機に直面している人々に思いを馳せる。そのことと、今まさに武器をとって前線にいるウクライナ労働者階級に対してゼレンスキー政府打倒を呼びかけることは、決して矛盾しない。

まさしくロッタ・コムニスタの諸君が明確に述べているように、「誰が最初に攻撃するのか、どの勢力が攻撃し、どの勢力が反撃するのかは、帝国主義においては重要でない。帝国主義が攻撃者なのであり、プロレタリアートは攻撃される者なのだ！」からである。

この点に照らしてみると、「革マル派」中央官僚がこの戦争をもっぱら山括弧付きで「〈プーチンの戦争〉」と呼ぶ理由も改めて明らかになってくる。彼らはこの戦争が第一次世界大戦とは異なることを強調し、今回は「国と国との戦争」ではなく、「プーチンの軍隊がウクライナになだれこみ一方的に蹂躙している」ものと捉えた（前掲「解放」二七三二号）。しかし、この丸ごとの国民国家「ウクライナ」とは一体何であるのか。この国家を支配するウクライナ・ブルジョアジーは、二〇一四年の「ユーロマイダン」に際して自ら西側帝国主義と結びつき、ロシア帝国主義の政治的・経済的影響力を削ぎ落としてきたのではなかったか。ロシア帝国主義はこれに対抗して東部ウクライナとクリミアを軍事的に確保し、西側帝国主義に対する緊張状態を繰り返し高めてきた。昨二二年二月二四日の以前において既に東西の帝国主義国家権力者らはそれぞれの勢力圏をめぐって角逐を繰り返していたのであり、こうした関係においては、それこそ〈誰が最初に攻撃するのかは重要ではない〉。これに対して「〈プーチンの戦争〉」を丸ごとの「ウクライナ」に対する「蹂躙」と把握する限り、「革マル派」中央官僚は、ロシアとウクライナとの間に存在していた既定の国境線を守るよう要求しているだけなのだ。そう要求するのは、彼らがプロレタリア世界革命を実現する立場をとうに放棄してしまったからに他ならない。

今回「解放」そして『新世紀』がロッタ・コムニスタのメッセージを「中略」＝隠蔽したのは、まともに「理論闘争」をすれば太刀打ちできないものを下部メンバーらに見せたくなかったからであろう。それにしても、これほどふざけた話はない。海外の諸団体からメッセージを受け取ることは、ただ単に自らを国際的に大きく見せたいがためなのか。寄せられた批判に対して真摯に応答するどころか、都合の悪いところを削除するというのでは、「国際反戦」など単なる茶番である。

労働者・学生諸君！　見せざる・言わせざる・聞かせざる――こんな姑息なことをやるのが今の「革マル派」なのだ。いつまでも声なき羊群でいることは、諸君の望むところではあるまい。ロッタ・コムニスタからのメッセージを恣意的に切り取ったことについて、下部組織成員諸君は自らの指導部に対し、事の真相を問いただしてみてはどうか。諸君が党内で勇気ある闘いに踏み出し、プロレタリア国際主義の大道を共に歩むことを、われわれは心より希望する。

二〇二三年三月二〇日

II

革共同第四次分裂の地平

革共同第四次分裂の地平を打ち固め、革命的前衛党の創造に邁進しよう！

革共同革マル派・探究派

新たな戦乱の時代を、プロレタリア革命の第二世紀へ！

二〇二二年二月二四日の、ロシア軍によるウクライナへの軍事侵攻とプーチンの「特別軍事作戦」の宣言は新たな戦乱の時代を告知した。侵攻したロシア軍と、米欧諸国から供給された最新兵器で武装したウクライナ軍との戦闘は、米・欧・日の旧来型帝国主義［西の帝国主義］とスターリン主義から転化した中・露の新型帝国主義［東の帝国主義］とのグローバルな抗争の、まさに発火点としての意義をもっている。

それと同時に、戦禍による破壊に加え、ロシアに対する西側帝国主義の「経済制裁」を引き金として、全世界的に食糧・エネルギーの価格の高騰と絶対的不足という危機が進行し、人民の生活苦と飢餓は、西側を含む全世界に拡がっている。

だが、痛苦にもこの戦争をめぐる全世界の労働者階級の反戦の闘いは、沈滞し、米・欧を中心とするいわゆる「国際社会」のロシア非難の排外主義的キャンペーンが全世界を覆っている。

日本においても、日本共産党は「国際社会」の（したがって西側帝国主義の）「第五列」ともいうべき姿を呈している。「連合」は会長・芳野が安倍の国葬への参列を表明するなど、産業報国会化を深めている。そしてまたかつて米ソ核実験反対闘争・ベトナム反戦闘争など、労学全戦線において輝かしい闘いを展開してきたかつての革マル派は、今日ではウクライナ問題において祖国防衛主義に転落し、民族主義的腐敗をさらけ出している。

このような階級的現実のもとで、腐敗した「革マル派」中央官僚派に抗して、組織の内外において革命的分派闘争を繰り広げてきたわが探究派に課せられた任務は極めて重大である。

まさにこの時、探究派がその結成を宣言してから二年有半、この間ずっと沈黙を続け、われわれの理論＝思想闘争から身を護ることに腐心してきた「革マル派」中央官僚派は、わが探究派の闘いに耐えかね、ついに「反革命＝北井一味を粉砕せよ！」と叫びだした。まさにこのことは、わが分派闘争の勝利を鮮やかに示している。その直後から、探究派のもとには、「やりましたね！」という声が次々と届けられている。

われわれは宣言する。

この間の革命的分派闘争を基礎としてわれわれはついに革共同第四次分裂をかちとった。この地平に踏まえ、新たな革命的労働者党の建設に邁進することを、われわれはここに明らかにするものである。

「革マル派」中央官僚派の反「探究派」攻撃をうち破った闘い

探究派結成宣言から二年有半、その事実を突きつけられながら沈黙を続け、わが探究派との理論闘争を忌避し逃げ回ってきた「革マル派」中央官僚派――彼らがついに始めた反「探究派」キャンペーンは、彼らの変質と腐敗を画することに醜怪なものであった。それはいわゆる第三者が見ても吐き気を催すような俗悪・劣化ぶりを示すものであった。そして、われわれが、彼らがわが探究派との理論＝思想闘争から逃げ、自己の官僚的地位を守るための欺瞞と詭弁の集成というこのキャンペーンの本質を的確に暴露し彼らを追撃した途端、彼らはなすすべもなく退散した。

転落と腐敗を曝け出した「北井一味＝反革命」なる絶叫

「解放」第二七二九号に「第一回」、第二七三一号に「第二回」、第二七三二〜三三合併号に「第三回」、第二七三六号に「第四回」が掲載された「反革命＝北井一味を粉砕せよ！」というタイトルの一連の記事は、彼らの腐敗の深さを自己暴露する記念碑的なものとなった。

彼らは「座談会」形式の「第四回」の末尾を「この『挫折の深層』の反革命性については、今後あらためて明らかにされると思います。」という文言で締めくくった。『松崎明と黒田寛一　その挫折の深層』は「反革命の書」だと「第一回」で宣言したにもかかわらず、一か月半後の「第四回」でもこの始末。『松崎明と黒田寛一』が「反革命の書」だという、彼らの「北井一味＝反革命」規定を裏付けるはずの重大な問題について、没理論的で悪辣な誹謗以外のなにものも示すことなく、このような「逃げ口上」を残して彼らは退散した。これを〝鼬《いたち》の最後っ屁〟といわずして何といおうか！

あっけなく破綻したデマと欺瞞のネガティブ・キャンペーン

彼らが初めて直接的に「探究派」に言及した、その内実は驚くべきものであった。かつてスターリンがトロツキーをはじめとする多くの革命的共産主義者に「反革命」の烙印を押して抹殺したこと、そして近くはブクロ＝中核派官僚であった本多延嘉が革マル派にたいして「反革命＝日本帝国主義の左足」というレッテルを貼り、暴力的敵対を正当化したこと――これらを熟知し、かつてはそのような腐敗した政治主義的手法を弾劾してきた「革マル派」中央官僚たちが、今日では、スターリンや本多延嘉の後塵を拝して、卑劣な策動を大々的にくり拡げたのである。

そのやり方は、アメリカ大統領選挙などのブルジョア選挙でさえ邪道とされる〝ネガティブ・キャンペーン〟の手法そのものである！

そのキャンペーンの二つの軸は、わが探究派に「反革命」「権力の狗」のレッテルを貼るために、糸色望氏を「ＣＩＡ」か「内閣情報調査室」の「諜報員」とみなし、この糸色氏に「北井」が操られているという構図をこしらえ、「探究派＝反革命」とすること、および「北井」は、精神異常者である、という卑劣なデマを徹底的にまき散らすことであった。明らかにその目的は、わが探究派が打ち出した『コロナ危機との闘い』から『松崎明と黒田寛一　その挫折の深層』にいたる諸文献、さらには「北井信弘のブログ」および「探究派公式ブログ」などで展開されている「革マル派」官僚たちに対する批判に「革マル派」下部組織諸成員が気づき、既に多大な影響が出てきていることに恐れを抱いた彼らが、組織に城壁を築いて囲い込み、組織諸成員たちがそれらにいっさい触れないように操作＝規制することにある。わが探究派との公然たる理論闘争を避け、その手前で、誹謗とデマによって、論争すること自体から逃げるために、〝論争以前の対象〟だと決めつけ、それを組織諸成員たちに刷り込むことに彼らは狂奔しているのである。

ところが、「糸色＝スパイ」という規定が、彼らの作り話でしかないことは、早々に明らかとなった。〝本人が認めた〟などというデマ以外に何の根拠もないことを事実上自認してしまったからである。

次は、「北井＝精神異常者」というあまりにも腐敗したレッテル貼りについても、一言しておこう。

何がどう「異常」なのか

「北井」は「異常な精神構造」だと彼ら中央官僚は言う。それを基礎づけるようなものがなにもないのは当たり前のことである。彼らは、ただただ断定し繰り返すだけである。革マル主義者たらんとして自己研鑽を重ねてきたものが同志北井の諸著作・諸論文を読めば、そのような断定が虚偽であることはすぐわかることである。だからこそ、下部組織諸成員たちが同志北井や探究派の諸文献やSNSでの発信にふれることじたいを恐れる彼らは、そのような事態を未然にふせぐために、そして既に探究派の影響のもとで彼らに不信と怒りのまなざしを向ける諸成員たちの決起をくいとめるためにこそ、同志北井を「異常な精神構造」の持ち主として描き出すことに躍起となっているのである。

とはいえ、彼らが同志北井を「異常者」扱いするには、それなりの内的根拠があることもまた明白である。彼らが同志北井をなぜ「異常」だと思うのか、その最深の主体的根拠をここで暴露しておこう。

同志北井は、二〇〇八年以降、上州の地で、過酷なパート労働を続けながら、極貧生活のなかで理論的探究を重ね、最初は西田書店から、次いで費用が少なくて済む自前のブランド（創造ブックス）で、諸著作を連続的に公刊してきた。その一つの理論的軸は、「共産主義建設論」である。ソ連邦崩壊の根拠をえぐりだし、それをのりこえて、われわれ自身が過渡期社会の経済建設・共産主義社会の建設に関する理論的基礎を明らかにすることであった。そのような追求を同志北井は、基本組織から排除されるまえから行っていた。この探究は、同志黒田が生前にその必要性を説きながらも十分に追求することが出来ずに残された課題の遂行という意味をもっていることの自覚にもとづいて、である。

だが、この時期に「革マル派」官僚の一人は言った——「ＫＫがやってないことなどやるのはオカシイ。その必要は無い。われわれは、ＫＫが明らかにしたことを学んでいれば良いのだ。」

これが「革マル派」指導部の面々の本音であり、ここに彼らの素顔がむき出しとなっている。数十年にわたって「革マル派」を名乗ってはいても、このような言辞が革命的マルクス主義の立場とは無縁であることに彼らは何も気づかない。彼らは、革命的マルクス主義者は同志黒田ひとりであって、他の党員たちは同志黒田の創造した理論を学び受け入れればよい、などと考えている。今日の彼らが同志黒田を神格化しているのは、彼らのこのような没主体性の必然的帰結なのである。

彼らは同志北井の苦闘を、あざ笑ったというだけではない。彼らの眼には、同志北井の営々たる理論創造の苦闘はむしろ彼ら自身の没主体性を照らし出し、革マル主義とは無縁な姿を映し出すものとして感じられる。だからこそ同志北井を排斥し、抹殺したくてしょうがないのだ。——これが、「異常な精神構造」などと彼らが同志北井を罵倒する真の根拠である！　同志椿原を「夜郎自大」だと罵らずにはいられないのも、同根である。

彼ら「革マル派」中央官僚派の面々には、革命的マルクス主義者としての矜恃もなければ、勇気もない。同志黒田の薫陶を受け、革命的マルクス主義者たらんとする自己研鑽、切磋琢磨を続けてこなければならなかった連中がさらす今日のこの惨状こそが、まさに「異常」なのである。

ここで「座談会」方式について一言ふれておこう。〝多彩〟な人物を登場させ、口々にデマ・劣情を吐き出させるやり方は、この種のデマ・キャンペーンにはもっともふさわしい、といえよう。一定の理論的構成をもつ論文のような形式では、ボロが出すぎる。みんなでワイワイ、ガヤガヤ、〝赤信号、みんなでわたれば怖くない〟式の乱痴気騒ぎで実感・感覚に訴え、刷り込むというようなスタイルは、今まさに巷間を賑わせているカルト団体による信者の「マインド・コントロール」の手法と何ら選ぶところがないではないか。

このような中央官僚派の実情を「革マル派」の諸君はどうするのか！　疑問をもつ者は離脱し、疑問を抑え込んで頑張ろうとすれば、メンタル疾患に追い込まれる。今や、このような事態が連発しているではないか！　このような悪循環を〈いま・ここ〉で断ち切ろう！　必要なのは彼らに追随してきた己に断をくだし、彼らと訣別し、新たな前衛党の創造のために決起することだけなのだ。その闘い方は多様となるであろうが。

〈二人の巨人〉の神話

彼らが「反革命の書」だとする『松崎明と黒田寛一』にわずかに言及していることは彼らの倒錯ぶりを実によく示している。

「座談会」の作者は、「古参党員A」なる人物に語らせている。――「たとえ距離は置いていても、そして辿る道は違っていても、二人は遙かなる山のそのまた向こうの、同じ頂きを見つめていたにちがいないと思うんだよなあ……」。〝語るに落ちる〟とは、このことである。まことにこれは同志黒田を神格化した彼らにふさわしい戯れ言である！　今度は松崎明をも神格化して〈二人の巨人〉の関係を、まるで天空の星を眺めるが如く、仰ぎみるものとなっているからである！　彼らの頭には自分たちじしんがいない。革命的労働者組織が重大な挫折に逢着したことへの痛みも、その主体的反省もない。

いまさら言うまでもないことではあるが、松崎明と黒田寛一の関係は、たんなる一個人と一個人の関係ではない。ともにプロレタリア世界革命をめざし、同志として、〈反帝国主義・反スターリニズム〉戦略で武装した革命的マルクス主義派の建設に心血を注ぎ苦闘を続けた二人である。だが、無念にもほかならぬこの二人が訣別した。そしてその組織的表現が、かつて同志黒田が「日本反スターリン主義運動の労働者的本質をささえる実体的根拠」とまで讃えた国鉄（JR）の党組織［いわゆる「マングローブ」］が、革マル派から大挙して脱退したという決定的事態ではないのか！　まさにそれはわれわれの革命的労働者組織建設における重大な挫折でなくてなんであるか。そしてそれは、彼らとともに闘ってきたわれわれ自身の組織的実践の破綻をも意味するものではないのか！

ほかならぬこのことを主体的に反省し、組織的教訓を導き出し、革マル派建設の挫折をのりこえるために、苦闘し熟慮してきたその結晶が、同志松代の『松崎明と黒田寛一』なのである！

もっとも、こんなことは〝豚に真珠〟というべきであろう。今日の彼らはもはや組織実践の主体的反省と教訓化などということは頭の片隅にすらない。まったく別の世界に転出してしまっているからだ。

「マングローブもこぶしも俺たちが潰したんだ！」と〝豪語〟

これは、二〇一九年一月三〇日に、今日では探究派の先頭に立っている同志たちを脅迫し追放するために、Cフラクションの会議に殴り込んだ輩たち——POB、WOB、SOB、OFB等に所属する官僚・小官僚ども——の一人［O］が吐いた妄言である！　すべての「革マル派」組織成員諸君！　よく見よ、これが諸君の中央指導部の面々の実態なのだ！

「こぶし」とはいうまでもなく、こぶし書房のことであり、同志黒田がみずからの著作を労働者階級にとどけるために創立し、育て上げた出版社である。同志黒田の死後、「革マル派」中央官僚どもはこの出版社の経営陣を脅迫し、版権を事実上強奪するという挙にでた。こぶし書房の中心人物たちが自分たちの意に沿わなくなった、と見た彼らは、同志黒田の諸著作をすべてKK書房に集約したのである。このことを「こぶしを潰した」と表現できる彼らの感覚こそ、まさに異常というほかないではないか！

「俺たちがマングローブを潰した！」などと自負するにいたっては、さらにとんでもないことである！

このことは、みずからの意にそぐわない者にたいしては、力で圧迫し脅して従わせようとする彼らの政治ゴロ的変質を雄弁に物語っているではないか！　もちろんこの「俺たちが潰したんだ！」の後に続いた言葉は、「お前たちを潰すくらいわけないんだ！」「今後、いっさい徒党を組むことは許さない。組んで行動すれば反革マル策動と見なす！」である！

組織論も、ヘッタクレもあるものか。ヤクザも顔負け、である。そのような脅しで革マル主義者を沈黙させることができると思っていたとすれば、まことに笑止千万。

理論＝思想闘争からの最後的逃亡――万策尽きた「革マル派」中央官僚派

「だから当然にも革命戦略上・運動＝組織路線上・組織建設路線上の対立などとは全く無縁な地平で、ただただ己を批判した黒田寛一をはじめとする同志たちを逆恨みして、わが運動を妨害するためにするフェイクをたれ流しているにすぎない。」（「解放」第二七二九号二〇二二年八月一日付の「第一回」冒頭）。

このように彼らが言い放ったのは、論争を回避し、逃げ回ってきたことを隠蔽し、今後とも逃げ回ることを正当化するため以外のなにものでもない。

すべて欺瞞である！　われわれは、探究派結成時から彼らの理論上の誤謬を明らかにする理論闘争を徹底的に遂行してきた。このことを最もよく知りつつ逃げ回ってきたのが、彼ら「革マル派」中央官僚たちである！

すでに同志北井は、「現段階における〈反帝国主義・反スターリニズム〉世界革命戦略」（二〇〇八年初頭執筆、『ロシア革命の教訓――新しい社会』二〇一七年三月、創造ブックス刊、所収）では、「革マル派」中央官僚派の世界革命戦略の歪曲を暴きだし、さらにあらゆる理論領域で「革マル派」の誤謬を突き出してきたのであった。『松崎明と黒田寛一』では、革マル派労働者組織建設の挫折の根拠を、そして革マル派建設そのものの破綻を組織論的にも革命論的にも暴きだしている。そして、ほぼ二〇一三年頃から、変質した指導部と党組織の内部で闘い続けてきた同志たちもまた、労働運動への組織的取り組みに関して、組織建設そのものに関して、正面から問題を提起してきたのである。党組織内でのこの闘いにおいては、「ヒラリー、ざまあ見ろ！」などとトランプの勝利を美化した彼らの思想的変質そのものをも暴きだしてきたのであった。これらの理論闘争の成果や、その後の「革マル派」中央官僚派の腐敗の相次ぐ露呈を捉え、的確に暴きだしてきたのが、『コロナ危機との闘い』・『コロナ危機の超克』・『脱炭素と資本論』・『松崎明と黒田寛一』（いずれもプラズマ出版発行）である。

彼らはただ一度、二〇二〇年末の政治集会の演壇に「常盤哲治」を立たせ、探究派を社青同解放派に見立てて、「わが革命的左翼に対して低劣な悪罵を投げつけ組織暴露をこととする者たち」だなどと非難した。この非難は、同時に、解放派――権力の走狗に転落しわが同志たちの命を奪ってきた輩ども――に「……組織暴露をこととする者たち」などというぼけきった非難を浴びせるなど、錯乱した姿をさらけ出すものであった（『脱炭素と資本論』参照）。それ以降も、ひたすら論争から逃げまわってきたのが、彼ら「革マル派」中央官僚どもであった。これは厳然たる歴史的事実である！

だが、ついに彼らは沈黙による乗りきりの破産をつきつけられ、開き直り打って出るハメに追い込まれた。それは、今日の彼らの醜悪さを自己暴露するもの以外のなにものでもなかった。

今さら逃げてももう遅い！　わが探究派の的確な思想闘争によってその腐敗ぶりが満天下に曝け出された以上、中央官僚派の瓦解は時間の問題である。その崩壊のカウントダウンはすでに始まった！

「革マル派」中央官僚の軛《くびき》のもとにありながらも、苦しみもがき、苦闘してきた諸君たち！

今こそわが探究派とともに、変質しきった「革マル派」中央官僚派を革命的に解体し、新たな前衛党を創造する決意を打ち固めようではないか！

革命的マルクス主義者たらんとするすべての仲間は、「革マル派」の腐敗を許し・「革マル派」によって歪められたおのれ自身と訣別し、わが探究派とともに闘おう！

二〇二二年九月二三日

冷厳な現実に「前原茂雄」はなぜ口を閉ざすのか

小倉　力

虚言家「前原茂雄」

「解放」第二七四五号（二〇二二年一一月二一日付）の探究派にたいするデマキャンペーン「第八回」において、前原茂雄は、驚くべき嘘と欺瞞を並べ立てた。毎度のこととはいえ、われわれは同志松代を先頭として、すでにその内実を徹底的に暴きだし、それを通じて逆に歴史的真実と教訓を次々と明らかにし、掘りさげてきている。

さしあたりここでは、次のことがらにふれよう。

「おまえはかつて国鉄戦線の古参の労働者の会議において何度か参加したことがあるが、そもそも発言したことがあるのか。とりわけ古参労働者の前で。いや、彼らと個別の対話をしたことがあるのか。いつも〃借りてきた猫〃のようにちんまりと緊張してかしこまって黙っていただけではないか。」

この「前原茂雄」の文は、彼がもはやなりふりかわず嘘八百を並べたてる虚言家へと変質していることを明確に示している。一九八〇年代前半にそれなりの組織的位置にあった労働者組織成員なら誰でも知っている事実、同志松代が国鉄戦線担当常任として、同志黒田に相談しつつ、国鉄労働者たちとともに「国鉄改革」のための諸攻撃に反対する闘いに取り組んだという事実をもなかったことにする、いや八〇年代前半の国鉄労働者の果敢な闘いそのものをも抹殺するものでなくてなんであるか。驚くべき妄言である。同志松代を貶めるためとはいえ、なぜそこまで言わなければならないのだろうか、というほどのものなのである。

とはいえ、このような虚言はただ単に政治的意図にもとづくだけではない。その根底にある〝哲学〟が同時に暴きだされなければならない。だが、それについて論じるのは、またの機会にしよう。「前原」には、なかったことにしたい決定的事実がある。

国鉄（JR）労働者組織の喪失

「前原」がなかったことにしている決定的事実、その最たるものは、わが日本反スターリン主義運動にとって、決定的な問題をなすものである。

かつての国鉄委員会を先頭とする、国鉄戦線の労働者たちがこぞって革マル派を離脱し、同志黒田が〝日本反スターリン主義運動の労働者的本質をささえる実体的根拠をなす〟とまで規定した国鉄戦線の労働者組織を一挙に失ったのである。これは、黒田寛一との固い同志的信頼にもとづいて、国鉄戦線に革マル派組織を確固として創造してきた松崎明の死去（二〇一〇年）を遥かに遡る一九九〇年代中葉のことなのである。松崎明の意志とは無関係にこのような事態が生起することがありえないことは、それこそ誰にでもわかることではないか。

われわれの実践の結果たるこの冷厳な歴史的事態を、まさに組織論的にも労働運動論的にも考察し、教訓化することなくして、反スターリン主義運動の前進はありえない。同志松代の『松崎明と黒田寛一』は、そのような確信にもとづいて解明し上梓したものなのである。「前原茂雄」は右のような現実には触れもしない。右の事態を革マル派労働者組織建設の破綻を意味するものとして、いかに教訓化するか、という問題意識そのものがないのである。

むしろ彼は、同志松代の前掲書を「反革命の書」だと規定し排撃するだけでなく、黒田寛一と松崎明との〝深い〟関係を物語化し神秘化して、力説している。

これは天地がひっくり返るほどの嘘ではないか。

これほどまでに深刻な歴史的現実と向かい合うことを、「前原茂雄」はなぜそこまで恐れるのか。

二〇二二年一一月二二日

III　晩年の黒田寛一の混迷

一九九二年、黒田寛一の思想的逆転回

椿原清孝

一　黒田寛一とソ連邦の崩壊――「世紀末の思想問題」を再読して

本論文が『共産主義者』第一四五号（一九九三年七月）に掲載された時に、私は読んでいた。その私が改めて本論文に対決したのは、同志松代のブログ記事「一九九六年の時点で、ソ連崩壊は忘れ去られてしまうようなものなのか」（二〇二三年二月一九日）を読み、黒田の思想的変質がソ連崩壊時に既に始まっていたのではないか、と思ったからである。

『現代における平和と革命』の「改版　あとがき」（一九九六年執筆）について同志松代は述べている。

「黒田にとって、ソ連の崩壊はすでに、忘れ去られることを心配するような問題になっているのか、忘れ去られてよいか否かも糞も、いままさに、その根拠は何か、ソ連崩壊の根拠は何か、というように、われわれが理論的にゴシゴシとほりさげていくべき問題ではないのか、と私は思ったのである。」

私はこれまで、『実践と場所』において満開した黒田の〝日本人主義〟とでも言うべき思想的変質をもたらした歴史的出発点は、一九九四年のＪＲ（旧国鉄）労働者組織の、そして黒田にとって最高の同志であり、また盟友であったとさえ言える松崎明の離反に直面した時であろうと思っていた。

だが、同志松代の記事を読み、黒田はソ連邦の崩壊を正視できなかったのではないのだろうか、という疑問を抱いた。そしてこの疑問の解決のためには、ほぼ三〇年前に読んではいた「世紀末の思想問題」と対決することが絶対に必要であると感じたのである。

「世紀末の思想問題」の歴史的組織的位置

『共産主義者』で公表された本論文は、今日では『ブッシュの戦争』（二〇〇七年、あかね図書販売刊）に収録されている。（この小論では、『ブッシュの戦争』のページ数を記す。）

本論文は「一九九二年五月――未完」とされている。すなわち、ソ連邦の崩壊（一九九一年一二月）からほどない時期であり、おそらくは黒田が「世紀末」の、つまりはソ連崩壊以後の「思想問題」について、初めて本格的に論じたものと言えるだろう。

それとともに、「一九九二年五月」という時期は革マル派組織建設において極めて大きな意味をもっているのである。この時期は、労働運動への組織的とりくみにおける右翼組合主義的偏向とその結果としてもたらされた労働者組織（諸成員）の変質をいかに克服するか、をめぐって組織をあげて苦闘していた時なのである。

一九九三年初夏――〝生気が感じられない〟

本論文が現実に『共産主義者』一四五号に掲載され公表されたのは、一九九三年初夏であり、当時の私にとってはいわゆる「三・一路線」をめぐる反省論議が開始される直前の暗い時期であるとはいえ、「三・一路線」をうち破る拠点の構築に手がかりを得た時期であった。私は、「米原拓也」署名のこの論文のタイトルを見て、「これはKKではないか」と思って飛びつき、貪るように読んだ。実際に読み始めたとたん、やはり同志黒田以外には書けないものだ、と確信した。このときに私が期待したのは、「三・一路線」を組織的に克服するきっかけとなることが論じられているのではないか、という一点であった。このような問題意識であったから、読んだ結果は、落胆であった。〝こういうことを論じている場合ではないでしょう〟という気持ちをも抱いた。さらに漠たるものではあったが、〝生気が感じられない〟という当時の印象だけが、後々思い出すごとに想起されたのであった。

だが、そのような印象を検証することもなく、三〇年が経過して、同志松代の追究に促されて改めて再び対決することとなったのである。

その結果は、予想を遥かに超えるものであった！

二　凱歌をあげるブルジョアジーの「歴史的思考の欠如」!?――歴史主義への転落

この論文は一論文としては長大であり、様々な論点について論述されている。私はその総体について論じることはできない。私は〈ソ連崩壊と黒田寛一その人〉という観点から大きな問題をとりあげるにすぎないことになる。そのことに重大な意味がある、と考えるからである。

本論文における黒田の諸論点を貫く基本的なものは、冒頭の次の文章に明確に示されていると言えるだろう。（以下、とくに断りがない場合、引用は上記『ブッシュの戦争』より。）

「スターリン主義に等値したところの「共産主義」にたいして〈自由主義の勝利〉や〈民主主義ないし市場経済の永久性〉を謳いあげるブルジョア的没理論にもとづくような非ないし超歴史的思想のばっこ。自称「社会主義」ソ連圏の予想しえなかったゴルバチョフ式破壊に有頂天になって歴史的思考をなげすて、ただもっぱら現状肯定主義の泥沼にはまりこんでしまっていることについての自己正当化。マルクスの共産主義思想についての無知蒙昧の公然たる自己暴露について気づかないほどのお目出度さ。」（二三〇頁）

ここで、極めて特徴的と思われる箇所に私が傍点を付した。

黒田がここで批判しているのは、基本的にはブルジョア・イデオローグおよび彼らによって形成された思潮であると言ってよいだろう。ここでは「歴史的感覚・思考の欠如」が問題とされていることが顕著である。後の「Ⅴ」章のタイトルが「〈ポスト資本主義〉感覚の蒸発」とされていることからもそう言える。明らかに黒田は、〈資本主義→社会主義（共産主義）〉という〈歴史の必然〉を拠点としてブルジョア・イデオローグと対決しているのである。その反面がブルジョア・イデオローグにたいする「時代錯誤」という否定の仕方である。これはどうしたことか。

〈資本主義→社会主義〉という社会経済構成の転換は、歴史法則的に実現されうるわけではない。全世界のプロレタリアートの国際的団結にもとづく闘い・〈世界革命〉によってのみ切り拓かれるのである。このことをかつての黒田は明確にし、スターリニストの客観主義的＝歴史主義的な「発展」論をのりこえてきたのではなかったか。だが、本論文における黒田は、その闘いについて何ら確信をもって論じてはいない、と私は考える。

いや、黒田は逆に、「……これが、プロレタリア的階級性の蒸発した世紀末現代世界があらわにしている悲劇的な様相なのだ。」（一四〇頁）などという。これはいったいどうしたことか？「現代世界」からの「プロレタリア的階級性の蒸発」とは？ここでは、現代世界ないし、そこにおけるプロレタリアという存在に関わる存在論的問題と、プロレタリア階級闘争の推進に関わる実践的＝主体的問題とが混淆されているのではないのか。前者の観点からいえば、プロレタリアートは現代の普遍的存在であって、「蒸発」したりはしない。後者であれば、ソ連崩壊以後の国際階級闘争の壊滅という厳しい現実において、われわれ反スターリン主義者がプロレタリアートの階級的自覚をいかにうながし、その組織化を推し進めるのか、という問題である。その確固たる立場と展望をぬきにしてブルジョア・イデオローグの「超歴史的思考」を指摘しても、彼らに対するマルクス主義者の知的優越を示すだけのことであって、まさに空しい、というべきではないか。

また「……むしろ現代世界が――真の理念を喪失して――無秩序と混沌にたたきこまれていることを端的にしめすものにほかならない。」という論述（一三九頁）と対照するならば、右の「プロレタリア的階級性」は、「現代世界」の「真の理念」とも重なってくる。だが、プロレタリアの階級的自覚は「時代」ないし「現代世界」そのものに孕まれているものでも、そこから「蒸発」するものでも決してないのである。「理念」を人間主体の自覚・実践の問題から切りはなして、恰も「時代」そのものに内在するものであるかのように考えるのは、ヘーゲル的・形而上学的錯誤ではないか。〈新世界秩序〉の安定をはかる帝国主義ブルジョアジーにたいする「反時代的」という非難は、その一表現ではある！

いや、ソ連崩壊以後の現代世界において、プロレタリアートをわれわれがいかに組織し、階級として形成していくのか、ということについては、黒田は全く問題にもしていない。そのような問題を不問に付して、「だが、二十一世紀の歴史的現実こそは、十九世紀のマルクス思想が勝利することを実際にしめすにちがいない。」などと言っても、強がり的な印象を拭い去ることは出来ないではないか。――このような文言が、かの黒田寛一の口から飛び出すとは！

ここで見られる黒田の歴史主義的な発想が、『実践と場所』におけるおのれの主体性の問題につらぬかれることによって、〝太古の時代からヤポネシアに住み着いた古モンゴロイド〟たる「ヤポネシア族」の末裔として己を意識するという驚くべき歴史存在論主義的基礎づけが、プロレタリア的主体性からの完全な遊離が、もたらされることにもなった、といっても良いだろう。

晩期の黒田は、実践的唯物論から非唯物論的形而上学へと傾斜した、と言わざるをえない。

三 〝ゴリ・スタ〟への思い入れ？

ソ連邦の崩壊に直面した黒田が、今みたような思想的逆転回を遂げたことは、彼がソ連邦の崩壊に、どれほど多大なショックを受け、事実上打ちのめされたかを示している、と言える。私自身は、「世紀末の思想問題」と改めて対決することを通じて、このことを痛感させられ、「あの黒田が……」という想いがこみ上げてきた。

黒田が打ちのめされた所以を推論的に考察する場合、どうしても気になるのが、本論文に垣間見られる、いわゆる「ゴリ・スタ」への思い入れである。

「Ⅲ　価値観の相克」（二四一頁〜）には次のような論述がある。

「ソ連型スターリン主義のブルジョア的＝ゴルビー的破壊に抵抗し、毛沢東主義の伝統をひきついで「改革・開放」に突進しているのが、今日の北京官僚イデオローグである。そして毛沢東主義者は、いまなおアジアの一部（とくにフィリピンの新人民軍）やラテン・アメリカの一部（たとえばペルーのセンデロ・ルミノッソやボリビアの毛沢東派など）において、いぜんとしてゲリラ闘争を展開し、「農村根拠地革命」方式を採用しながらも、さらに都市部にまで反政府闘争を拡大しつつある。――こうした生き残り毛沢東主義者の「革命闘争」に、亡命したソ連のゴリ・スターリン主義党員および軍人・KGBが、今後いかに関与していくか、ということは旧ソ連邦全体の経済的破滅によって促進され連動してうみだされるところの、資本主義世界全体の今後の経済的混乱と新たな激変にかかっているのである。」(二四五頁)

まず、一九九二年の中国共産党指導部を「毛沢東主義者」というのは、いかにも無理がある。毛沢東の死後に復権し既に実権を確立した鄧小平、かつては毛沢東によって「走資派」と烙印された彼が率いる中国共産党指導部はお世辞にも「毛沢東主義者」とは言えない。「改革・開放」を打ち出し、脱毛沢東化を図ってきたのが、鄧小平指導部である。「「改革・開放」に突進」とされているのであるが、鄧小平の、一九九二年初めのいわゆる「南巡講話」以降の中国共産党指導部は、スターリン主義的計画経済の行き詰まりの打開・弥縫の枠を超えて資本主義化政策に舵を切ったのであって、それが「市場社会主義」なのである。

ましてや、「亡命したソ連のゴリ・スターリン主義党員および軍人・KGB」についての論述はいかにも過大である。本論文を執筆した当時に、かつての「ゴリ・スタ党員および軍人・KGB」の今後の挙動を予測することが難しかったことは間違いない。だが、明らかに黒田の推察には、「毛沢東主義者」や「ゴリ・スタ党員および軍人・KGB」への過大な期待がにじむ。

後のことにはなるが、このことを示す一事をあげよう。

かの二〇〇一年のいわゆる「九・一一」事件の直後の革マル派機関誌「解放」の記事では、この「ジハード自爆」は、旧ソ連のKGBがムスリムを教育・指南して実行させたものであって、「本質的実体はFSB

（旧KGB）である」とされたのであった。当時、私は驚いた！　同志松代によると、このような〝分析〟は同志黒田の指示によるものであったらしい。（もっともその直後には、黒田はムスリムの「画歴史的闘い」を賛美したのであり、やがては「イスラミック・インター‐ナショナリズム」を称揚するまでに至る。この転換は、既にプロレタリアートの階級的組織化の展望を見失い、実践的立場を喪失した黒田が既存の他の政治的勢力に依拠してしか展望を語ることが出来なくなったことを示したものと言える。）

「毛沢東主義者」や「ゴリ・スタ党員および軍人・KGB」の挙動への過大な推察は、黒田が彼らになお思い入れを抱いていることの表現として捉えるほかはない。アメリカ帝国主義をはじめとする現代帝国主義に対抗する彼らの「左翼」性への思い入れがそこには滲んでいると言える。

これは驚くべきことである！　だが、ソ連邦の崩壊以後にますます問われたスターリン主義を根底的に超克してゆくための国家＝革命論的・経済学的掘りさげに彼が注力することはなかったことを合わせ考えると、ソ連邦の崩壊という事態の直撃を受けて、彼自身が反スターリン主義運動そのものの展望喪失に陥ったことは否みがたいのである。――この意味で、ソ連邦の崩壊以後の彼を「晩期・黒田」と規定しうると考える。

［なお、「亡命したソ連のゴリ・スターリン主義党員および軍人・KGB」という表現自体も異常である。「ゴリ・スターリン主義党員および軍人」はともかく、それと並べて「KGB」というのはいかにもおかしい。前者は、党および軍の「ゴリ・スタ」的諸成員を示すのに対して、後者は国家機関そのものを表す。並列できないものを並列しているのである。

また、直接的に黒田じしんが用いた表現とは言えないのであるが、二〇〇一年の九・一一事件に関して

「解放」では、「本質的実体はＦＳＢ（旧ＫＧＢ）」というような規定がなされていたのである。これもまた極めておかしい。〝かつてＫＧＢに属していたものたち（諸実体）〟ということであれば、一応意味は通じる。しかし、〝国家機関としてのＦＳＢ（旧ＫＧＢ）〟となれば話は別である。既に国家機関としての「ＫＧＢ」は存在しない。「ＦＳＢ」となればとんでもないことになる。なぜならそれはロシアの国家機関であり、ロシア国家の頭目たるプーチンが指揮していることになる。となると、九・一一事件の黒幕はプーチンであり、彼がロシアの国家機関を指揮してアメリカ帝国主義に攻撃をしかけたことになる。〝ゴリ・スタの暗躍〟どころの話ではないのである。

このような問題にさえつながる叙述の非論理性に気づかなかったとすれば、この時点で黒田は論理的思考そのものにおいても相当に衰退していたことが示されているのである。」

四　同志黒田を神格化したものの腐敗と惨状

右に論じてきたような同志黒田の晩期における思想的逆転回を捉えるならば、彼を神格化したものたちの腐敗についてもまたより明確に捉えることが出来る。三点だけ指摘しておこう。

歴史主義的思考

『黒田寛一著作集』が刊行されたとき、われわれは驚いたものである。著作集刊行委員会は、同志黒田に「世紀の巨人」などというスターリンなみの称号を与えただけでは気が済まず、「歴史のはるか先を行く偉大な先駆者」だと規定したからである。われわれは、これは同志黒田の場所の哲学を否定するものであり、「思想的には〝サラバ、黒田〟と言っているようなものではないか!」(『コロナ危機の超克』「革マル派の終焉」一五七頁)と弾劾しておいた。これは正しい。だが、彼らが晩期・黒田の歴史主義的思考を学んでしまったことも事実であろう。

師における誤謬の兆しが、彼を神格化した追随者においてはそれこそグロテスクなまでに発展しているのである。

反スターリン主義の放擲

今日の「革マル派」指導部が反スターリン主義を完全に放棄していることは彼らの出版物の隅々に露呈しているのであるが、ここで最近の「解放」記事について指摘しておこう。

二〇二三年三月六日付けの「解放」第二七五八号で彼らは言う。――「スターリンの末裔にして、ソ連の国有財産の簒奪者たるプーチン」と。

とっくの昔に転向し、今日ではロシアの転化型帝国主義の頭目となったプーチンを「スターリンの末裔」

に見立てなければ「反スタ」の体裁がとれないほどにまで彼らが変質していることは別にして、彼らは「ソ連の国有財産」への郷愁をもかくそうともしない！（松代秀樹のブログ、二〇二三年三月二日の記事を参照されたい。）

彼らの変質を感性的にも端的に示す卑近なエピソードをここで一つ紹介しておこう。

二〇一七年ころであったか、労働者組織のある学習会で「ソ連の崩壊は痛かった。［資本主義の悪の］歯止めになっていたからなぁ」と発言したメンバーがいる。それを聞いて、今日では探究派に結集しているわれわれは大いに驚いたものである。だが今日、ソ連邦の崩壊を同志黒田がどのように受けとめたかを分析・究明するならば、これもまた晩期・黒田の〝落とし子〟にほかならないのである。（事実、この発言者は、同志黒田の著作の読み合わせの際には、「べらんめえ調」といわれる政治集会などでの同志黒田のテープ講演のモノマネ＝ナリキリのようなことをしていたメンバーである！）

「時代」だのみの客観主義

二〇一八年の「解放」新年号に掲載され、後に『新世紀』（二九三号）に再録された論文には、「ドン底の底が破れるとき、光まばゆい世界が開けるのであり」などという宗教映画もどきの文言があらわれた。「どん底」の「底」には「光まばゆい世界」がある、とは開いた口がふさがらない。その後も「世界が反スターリン主義運動を求めている」などの、とても実践主体とは思えないような願望を吐露する文章も続いた。「理念」が「現代世界」に内包されているかのような黒田の文言を盲信するならば安んじてこういう倒錯に陥るのであろう、と今日的には考える。

（その他にも、後の「革マル派」中央官僚派において満開した誤謬と腐敗の〝種〟をなしたと見られる様々な歪みの兆候が、この「世紀末の思想問題」には見られるのであるが、ここでは論及できない。）

五 〈逆転回〉の根拠

それにしても、この「世紀末の思想問題」には、われわれがかつて尊敬し畏敬の念をいだいていた同志黒田の驚くべき変質ぶりが露呈している。反スターリン主義運動を創造した黒田の〈思想的逆転回〉と言わずしてなんと言おうか。そして、この変質の根拠は何であろうか。

直接的には、ソ連邦の崩壊という歴史的現実に直面して、彼はうちのめされたと言わざるをえない。このことを掘りさげるためには、このことを彼の〈反スターリン主義〉の限界が露呈したものとして位置づけ、理論的に明らかにすることが必要である。だが、それと同時に、彼のこの受けとめそのものをも規定している革マル派労働者組織建設の破綻と、彼自身の展望喪失、さらに言えばプロレタリアートへの不信への転落という問題に、われわれは突き当たる。プロレタリアートへの不信は、「プロレタリア的階級性の蒸発した世紀末現代世界」というような先の規定にもそれは滲み出ていたと言える。

この問題を考察するために、われわれは一九九二年という時点に戻ることが必要である。

本論文が執筆された一九九二年五月は、三月一日に「春闘討論集会」が開催され、そこで中央労働者組織委員会の常任メンバーであった「土井」が報告を行ってまだほどない時期である。翌一九九三年夏になって「賃プロ魂注入主義」とか「『資本との対決』主義」とかというかたちで問題となる報告である。一九九三年夏になって同志黒田はその問題性を論じたのであったが、そもそも土井の報告は、――もちろん、土井に特有な諸傾向が露呈したものでもあるが――土井が同志黒田に相談し、直接的な討論にもとづいて作成されたものであった。だから「これは議長のメッセージだ！」という土井によるその報告の自賛が、組織的に通用したのであった。それだけではない。黒田は、前原茂雄に替えて、常任メンバーである若い足利を事実上の書記長の地位に据え、土井をその後見役としたうえ、足利をはじめとする常任メンバーたちに「土井に学べ」「土井に相談せよ」と指示していたのである。常任メンバーたちは、この黒田の指示に従った。

そして土井の誤謬が問題となった際、黒田は「すべての責任は私にある」としたのであるが、その内実は明らかにはされなかった。当然にも、土井に付き従ったとされた足利をはじめとする常任メンバーたちからは「土井に学べ、と言ったではないか」という反発と憤慨が巻き起こった。少し後になって、黒田は、「あの時は、土井を採用するしかなかったのだ」と弁明にならぬ弁明をおこなったという。それを聞いた常任メンバーたちの驚きはいかほどであったか。

明らかに、黒田は右翼組合主義的偏向に転落し、さまざまな組織問題をも発生させていた労働者組織をいかに立て直すか、ということについてどうしてよいか分からず、土井を登用してやらせるしかない、という心境に陥っていたことを自ら表明したのだからである。

しかも、この問題に引き続いて引き起こされたのが、ＪＲ（旧国鉄）委員会の問題である。そもそも土井は、右翼組合主義の元凶はＪＲ・松崎明である、という認識にもとづいていたのであり、土井を登用したことがＪＲ組織の離反の伏線をなしたのである。

それはともかく、黒田がどうしてよいかわからなくなった、ということは深刻である。黒田は「世紀末の思想問題」で、「プロレタリア的階級性の蒸発した世紀末現代世界」を嘆いたのであるが、問われたのは革マル派労働者組織の破綻を、みずからの組織指導の帰結として主体的に反省することであったはずなのである。ところが、黒田はそうは向かわなかったのであって、むしろ逆にプロレタリアートに対する失望に陥ったのだといわなければならない。プロレタリアートを革命の主体として組織する実践的立場を喪失したのである。その紋章が、さきの「プロレタリア的階級性の蒸発した世紀末現代世界」という文言である。

そしてこのことが「ゴリ・スタ党員および軍人・ＫＧＢ」や「毛沢東主義者」への期待を抱く根拠をなしたのである。あれほどまでにソ連邦の歪みと腐敗を暴きだしてきたにもかかわらず、このときの黒田はソ連邦の崩壊にある種の〝喪失〟感を抱かざるをえなかったのであろう。

「世紀末の思想問題」をはじめ、晩期の黒田の諸論文には、かつて黒田が究明した諸成果とともに、ソ連邦の崩壊に直面した彼が新たにとらわれた諸思考・感覚とその発展した諸形態が併存し錯綜するものとなっている。みずからのプロレタリア的主体性を磨き上げることを放擲し、「黒田寛一」その人を信奉し、神格化するにまで至った「革マル主義者」は、この錯綜のうちに漂うほかあるまい。

黒田は言う。

「だが、二十一世紀の歴史的現実こそは、十九世紀のマルクス思想が勝利することを実際にしめすにちがいない。今日におけるさまざまな価値観の相克を、透徹した理性と生きた感覚にもとづいて、グローバルかつダイナミックに分析することによって、そのことは確認されなければならない。」

違うではないか、黒田よ！

「勝利」すべきなのは、「十九世紀のマルクス思想」ではなく、二十一世紀現代においてマルクスの思想をわが身をもって受けつぎ、この歴史的現実に貫徹せんとするわれわれ反スターリン主義者であり、全世界のプロレタリアートではないのか！　そしてこのことを確証しうるのは、「さまざまな価値観の相克」を「グローバルかつダイナミックに分析すること」によってではなく、現実世界のなかに依拠すべき諸契機を探し求めることによってでもなく、われわれ自身の革命的＝変革的実践そのものによってではないのか！

若き黒田寛一が熱烈に訴えた〈場所的＝実践的立場〉とは、このようなものではなかったのか！

私は、一九九三年に「世紀末の思想問題」を読んだ時には気づくことの出来なかった諸問題について、遅ればせながら気がついた。だが、私もわれわれも〝無駄飯〟を食ってきたわけではない。この地平は私＝われわれ、すなわち探究派が「革マル派」中央官僚との思想闘争に傾注してきたことの成果であると言える。一挙にかつ全面的に、とは言えないまでも、「革マル派」の腐敗を暴きだし、その解体を通じて、プロレタリア革命の党を創造するために、一歩また一歩と進んできた、この地平を踏みしめ・噛みしめ、前進するのでなければならない。

理論創造においても、組織建設においても、われわれはこの道をゆく。

二〇二三年五月五日

「暗黒の世紀への転換」と見た黒田寛一の動揺とその弥縫

桑名正雄

一　一九九九年のNATOのユーゴ空爆は現代世界史の本質的転換点なのか？

「ブッシュの戦争――イラク侵略戦争の意味と世界制覇の野望」という論文（『ブッシュの戦争』あかね図書販売、二〇〇七年刊所収――『新世紀』第二〇六号所収の同名論文を底本とした、と記載されている）において黒田寛一が明らかにしている現代世界のとらえかたに私は疑問をもった。そのことを検討したい。この本の二四頁から二五頁で黒田は次のように論じている。（以下、本書から引用は頁数のみを記す）

「国防相ラムズフェルドが口癖のように言う「同志連合」あるいは「友邦同盟」を基礎にして、しかもRMA（軍事技術革命）の粋を集めたハイテク爆弾を、いわゆる精密誘導爆弾を霰のように降らせ、もって「迅速性と効率性」を実証したのが、今回の戦争であった。全世界の人民大衆が地球を四周もするようなデモ津波をおこなったにもかかわらず、アメリカの国家意志はイラク人民虐殺のために発動されたのであった。それだけではなく、米・英・日本を除く各国帝国主義者ならびにアラブを始めとする資本主義諸国の権力者の反対を押し切って、無慈悲きわまりない今回のイラク侵略は強行されたのであった。今回のイラク侵略戦争は、「先制攻撃」をアメリカ国家の軍事戦略に高めたことを、現実にしめしたひとつの結節点をなすといってよい。」

以上が二四頁で展開され、これにつづいて二五頁から「2　暗黒の二十一世紀への転換」と表題がつけられつぎのように書かれている。「地球を四周したあのデモ津波にもかかわらず敢行されたこの戦争は、暗黒の二十一世紀を約束している以外の何ものでもない」。ここで黒田が言っているのは、自分は二〇〇三年のイラク戦争を二十一世紀が暗黒の百年となることを決定づけた事態であると把握した、ということである。つづけて彼は言う。「すでにわれわれは、一九九一年のソ連邦の崩壊を現代史の歴史的転換の結節点として、あるいは二十世紀の終焉としてとらえ、もって現代世界は二十一世紀世界への過渡にある「新東西冷戦」の時代に入った、と規定し」た、と。

ここまでの展開からすると、黒田は以下のようにとらえたということになる。すなわち、現代世界は一九九一年のソ連の崩壊を歴史的転換点として米ソの東西冷戦から新東西冷戦へと転換した、そして二〇〇三年にアメリカが強行したイラク戦争とは現代史が暗黒の世紀へと展開することを約束するものである、つまりこのイラク戦争は新東西冷戦の完成とでもいうべきものだ、というように彼はとらえた、ということである。ただ、ここまでの論述では、黒田は、一方では、一九九一年のソ連の崩壊によって現代史は転換し、これによって新東西冷戦の時代にはいったとしている、と同時に、他方では、このソ連の崩壊は「二十世紀の終焉」であり、それを結節点として現代世界は「暗黒の世紀」である二十一世紀へと転換した、あるいは、暗黒の二十一世紀への過渡にはいった、としている。そうすると、この「暗黒の世紀」ということと「新東西冷戦」ということとの関係はどうであるのか、と疑問がわく。すくなくとも、ここまでの展開ではそのことがよくわからないのである。

そして二六頁から次のように展開される。「現代世界史の結節点的転換をなすのは、もちろん一九九一年であって、九一年以降のいわゆる新しい東西冷戦構造は、九九年の国連決議とは無関係に強行されたコソボ＝ユーゴ空爆への過渡期にある世界の構造を端的にあらわしたものにほかならない。このユーゴ空爆を現代世界史の本質的な転換点であるとわれわれは規定した。」

私はここをよみ、「あれっ」と感じた。九一年のソ連の崩壊を現代史の歴史的転換の結節点とこの論文において論じてきたにもかかわらず、彼は、ここで九九年のユーゴ空爆を現代世界史の本質的転換点である、と「われわれは規定した」とすでに規定していた把握を確認し論じていくのだからである。そうすると、黒田はソ連の崩壊を現代史の転換の結節点ととらえ、かつ同時にユーゴ空爆を現代史の本質的転換点だ、と言っているということになる。いったい、前者は何から何への転換であり、後者は何から何への転換であると彼はとらえたということなのであろうか。ここで彼が駆使している「現代史の歴史的転換の結節点」と「現代世界史の本質的な転換点」ということとは、その次元においてどのような違いと関係にあるということなのかが、私にはわからないのである。

「現代史の歴史的転換の結節点」にせよ、「現代世界史の本質的な転換点」にせよ、両者の意味するものは本来的にはわれわれにとって同じものであるはずだ、と私は思うのである。一九一七年のロシア革命によって現代世界はプロレタリア世界革命の完遂への過渡期に入ったというように、現代という時代をわれわれは認識するのであるが、この場合に、このロシア革命を現代史の世界史的転換を画した結節点だと主体的に把握する、このような意味を右の概念的規定はもつものである、と私は考える。そうすると、プロレタリア世界革命の完遂への過渡期にある現代世界が新たなかたちで根本的に転換したその結節点ととらえるべき事態について黒田は論じているはずなのである。すくなくとも彼が使っている概念的な規定からするとそうなるのである。そして彼は、このソ連の崩壊を「二十世紀の終焉としてとらえ」た（二五頁）と言っているのである。

では、黒田は一九九一年のソ連の崩壊と一九九九年のユーゴ空爆を、それぞれ何から何への転換の結節点だ、ととらえているのか。われわれはこれを分析しなければならない。

まず、九一年のソ連の崩壊を彼はどうとらえているのか。彼はソ連邦の崩壊を東西冷戦から新東西冷戦への転換点だととらえている。他方、九九年のコソボ＝ユーゴへのＮＡＴＯの空爆を、何から何への転換点だ、と彼は言っているのか。ユーゴ空爆は「国連決議とは無関係に強行された」ものであるということに、この事態が「現代世界史の本質的転換点」であるという意味を彼は見いだす。ソ連の崩壊を東西冷戦から新東西冷戦へと転換した結節点だ、と言うと同時に、この新しい東西冷戦構造は「国連決議とは無関係に強行され」たコソボ＝ユーゴ空爆への過渡期にあるのだ、と彼は言う。これでは、これらの言は、ユーゴ空爆にこそ大きな意味があると言っているものであり、「現代世界史の結節点的転換をなすのは、もちろん一九九一年であって」などというのは、何か弁解のように私には聞こえるのである。

彼がユーゴ空爆を現代世界史の本質的転換点であるととらえること自体はどうであるか。彼がユーゴ空爆をそのように捉えるのは、それがＮＡＴＯによって国連決議と無関係に強行されたものだ、ということにもとづいている。それでは、彼は、東西冷戦の時代において帝国主義国の他国への侵略が国連決議にもとづいてなされた、と言うのであろうか。それとも、帝国主義国の侵略は国連において安保理の常任理事国が合意せず、それゆえに強行されなかった、というのであろうか。(六一頁参照)

たしかに九一年に強行された多国籍軍という名のアメリカ帝国主義主導の軍のイラクへの侵略は、ゴルバチョフ政権がブッシュ政権に屈服し国連安保理の決議がなされたことにもとづいて強行されたのであった。これは、八九年の米ソのマルタ会談によって東西冷戦の終結が画されたことにもとづくものである。東西冷戦の時代には、アメリカ帝国主義のベトナム侵略にせよ、ソ連のアフガニスタン侵略にせよ、それらは国連決議などとは無関係に強行された。国連においては米ソの対立によって安保理の決議を挙げることはできなかったからである。

ユーゴスラビアという旧スターリン主義国家にたいして、軍事同盟をとりむすんだ帝国主義諸国が空爆したというのは、かつてない事態ではある。そうであるのは、それがソ連邦およびソ連圏の倒壊によって生み出されたものなのだからである。このようにとらえるかぎり、黒田が、九九年のユーゴへのNATOの域外空爆が国連決議とは無関係におこなわれたことをもってそれを現代世界史の本質的転換点だと規定する、と同時に、ソ連邦の崩壊が現代世界史の結節点的転換をなすという把握を並存させている、ということは不可解なのである。

二　黒田の反省なき弥縫――松代論文をどう読んだか

1　レジュメの意味

「ブッシュの戦争」は『新世紀』第二〇六号（二〇〇三年九月）にその巻頭論文として掲載された。そして、それは同名の著書に収録された。その著書には、「松代論文（『新世紀』第二〇四号）に関連して（二〇〇三年四月四日）」というレジュメが掲載されている。ここにいう松代論文とは「ニッポンネンシス（日本病）の恐怖」という表題の論文のことである。松代論文の筆者によれば、当時この論文を読んだ黒田から「経済分析はつくりだされたものの分析であり、これからつくりだされるであろうものの予測をするものではない」という批判が寄せられたという。この経緯からして、彼は、松代論文を検討したうえで、この「ブッシュの戦争」を執筆したということがわかる。

このレジュメは、その全体としては、国家独占資本主義の経済形態の転換にかんするものとして書かれている。

「(Ⅰ) 国家独占資本主義の典型――一九六〇年代の資本主義」「(Ⅱ) レーガン型新保守主義経済＝レーガノミックス＝ケインズ型経済政策の否定＝市場経済万能主義」そして「(Ⅲ) グローバル化した市場経済

＝米軍国主義的帝国一極支配の政治経済構造とびっこ戦争による破綻の露出」。この（Ⅲ）の冒頭には「一九八九～九一年事態＝ソ連圏およびソ連邦の大崩壊（ゴルバチョフの歴史的犯罪）」というように展開されている。ところで問題は、その最後に（Ⅲ′）として展開されていることである。このレジュメで彼は松代論文をそれとして明確に批判しているわけではない。とはいえ、右の批判との関係でとらえかえすと、つぎのくだりが著者に寄せられた批判とかさなる。「（Ⅲ′）9・11事件を新時代の幕開きと見なす俗説は政治的および軍事的に誤りであって、この事件の歴史的前提＝政治的・軍事的な本質的転換は、コソボ空爆の主体が国連決議なしのＮＡＴＯ軍（その域外空爆）にあったこと。――政治的・軍事的観点と、国家独占資本主義の経済形態の転換とは異なる。――『大内力経済学大系』「第六巻　世界経済論」参照。」

ここで黒田が言っているのは、「9・11事件を新時代の幕開きと見なす俗説」は誤りである。この事件の歴史的前提＝政治的・軍事的観点からの本質的転換はコソボ空爆にある、ということである。そして、国家独占資本主義の経済形態の転換を分析することはこの新時代の幕開き＝現代世界の本質的転換を分析することとは異なる、ということなのである。私はこれを、松代論文にたいする批判であると考える。なぜか。松代論文には以下の展開があるからである。

「ここで展開されている方法論にのっとるならば、われわれは（4）一九九〇～二〇〇〇年代型の国家独占資本主義の解明をめざさなければならないのであり、これは（4）ソ連圏崩壊いごの国家独占資本主義、アメリカと日本とＥＵ（欧州連合）の三極を措定したその解明、ということができるであろう。このばあいに、場所的現在における現代世界にかんする次のような認識がおさえられなければならない。

「人いはく――9・11自爆事件は『現代史の分水嶺』なりと。まこと、その限りにや、ムスリムのこの殉教自爆攻撃は画歴史的出来事なりと言はむ。されど、新時代の幕開きは、NATOが国連決議なしに強行せし慈悲なきユーゴスラビア空爆によりて、はや告げ知らされたり。一九九九年にわれらはかく綴りぬ。『NATO創設五十周年にあたる一九九九年という年は、画歴史的な転換点として、必ずや世界史に刻み込まれるであろう。』『血塗られたNATO空爆が帝国主義的国家エゴイズムをむき出しにしてつづけられるかぎり、ユーゴスラビアの戦争は泥沼化し、第二のベトナム戦争となるであろう。』(一九九九年四月十日付JRCL国際アピール。あかね図書刊、Kuroda's Thought on Revolution 所収)

かのユーゴスラビアの事態を現代世界史の本質的転換と規定したれば、まぢかき出来事は、この転換を結節点とせし現実的転換と呼ばざるを得ず。二十一世紀の世界は、『跛―戦』(非対称的戦争)すなはち正規軍対ゲリラの戦が荒ぶる時代に突きすすみゆかむ。」(「ヤンキーダムの終焉の端初」あかね図書刊『アフガン空爆の意味』所収、三四頁)

こうした新時代の幕開きは、さらに歴史的に捉えかえされなければならない。

「かくの如き場所的現在に於る現代世界の状況は、一九九一年のソ連邦崩壊とそれ以後の歴史過程によりて決定されたりしが、かかる過程のあらがいがたき帰結なりき。ソ連邦とその陣営の崩壊(一九八九年のベルリンの壁の倒壊に象徴されたるそれ)はスターリン主義の没落にほかならず。しかるに、この世紀の倒壊は、なべて『共産主義の終焉』はたまた『マルクス主義の死』とみなされたりき。……」(同前四〇～四一頁)

新時代への転換点とその歴史的根拠にかんするこうした認識を基礎にして、破綻した国家独占資本主義の新たな変貌を明らかにするのでなければならない。このゆえに、一九九九年のユーゴスラビアへの侵略戦争を結節点とする新たな時代、この時代における国家独占資本主義を解明することがわれわれの課題である、といわなければならない。先にのべたところの（4）一九九〇〜二〇〇〇年代型の国家独占資本主義の解明というのは、このような意味において理解されなければならない。したがって、ソ連邦とその陣営の崩壊以降この侵略戦争までの時期における国家独占資本主義は、われわれがいま解明することを課題としたところの国家独占資本主義の型への過渡形態としておさえられるべきであろう。」（松代論文九七〜九九頁）

以上のように松代論文では展開されている。この内容からして黒田は、これは誤りである、と批判しようとした、と考えられる。松代論文は国家独占資本主義の転換の分析を課題としている。そこでは、一九九九年のユーゴ空爆という現代世界の本質的転換を結節点としてその転換を分析するのだ、としている。これは誤りである。なぜなら、それは「政治的・軍事的観点」であり国家独占資本主義の経済形態の転換とはことなる。松代論文の課題は後者なのだからだ。およそこのように黒田は言いたいと考えられるからである。このような黒田の批判は、私には奇妙に思えるのである。彼は松代論文を批判するためにこのレジュメを書いた。そのうえで、彼は「ブッシュの戦争」論文を『新世紀』二〇六号（二〇〇三年九月）の巻頭に掲載した。これが『ブッシュの戦争』の巻頭論文として再録されているものである。つまりこの論文は彼が松代論文を検討し批判したうえでそれにふまえて書かれた、ということがわかる。そこで黒田はどのように展開しているのか、これが問題なのである。

「ブッシュの戦争」論文では次のようになっている。

「現代世界史の結節点的転換をなすのは、もちろん一九九一年であって、九一年以降のいわゆる新しい東西冷戦構造は、九九年の国連決議とは無関係に強行されたコソボ＝ユーゴ空爆への過渡期にある世界の構造を端的にあらわしたものにほかならない。このユーゴ空爆を現代世界史の本質的な転換点であるとわれわれは規定した。」

これを私は読み、これはレジュメで彼が展開していることと異なるのではないか、と思ったのである。これは、黒田が松代論文を検討したうえでレジュメでそれを批判していること、このことと異なるものである、と感じたのである。さらに言えば、彼は、この「ブッシュの戦争」論文において、はじめて一九九一年のソ連の崩壊を現代世界史の転換点であると明確にしたのである、そのようにしたとはいえ、それをコソボ空爆が現代世界史の本質的転換点だというようにそれまではとらえてきたことと並存させている、と感じた。レジュメでは政治的・軍事的な本質的転換がコソボ空爆で、これが現代史の転換をなすのであり、ソ連邦の崩壊を転換の結節点とするのは国家独占資本主義の形態転換を捉える場合のことなのだ、ということであったはずだ。そして、その前提としてわすれてはならないのは、松代論文で引用されているように「ヤンキーダムの終焉の端初」論文ではあくまでも「新時代の幕開き」すなわち現代世界史の本質的転換とは一九九九年のユーゴ空爆であり、ソ連邦およびソ連圏の倒壊は、その歴史的根拠をなす、このように黒田は把握してきたということなのである。それゆえに、この「ブッシュの戦争」論文における論述は、それまでの彼の把握を否定したものという意味をもつのである。しかし、彼は、そうは言わない。むしろ、現代世界史の結節点的転換をなすのは、「もちろん一九九一年であ」る、として、これは言うまでもないことだ、というようにのべるばかりである。これは、私にはきわめてわかりにくいのである。このことからすると、「ブッシュの戦争」論文において、彼はレジュメでの主張をなし崩し的に変えたということになる。

なぜ、彼は、自己の把握をなしくずし的にかえたのだろうか。

私は、黒田は、松代論文をよみ、これを批判してみたものの、みずからがコソボ空爆を現代史の本質的転換点であると断言してきたこと、九九年の時点でそのように断定しかつ二〇〇一年の「ヤンキーダムの終焉の端初」論文でもそう論じてきたこと、このことは実のところ九一年のソ連の崩壊こそが世界史の転換の結節点であるというこの明らかな問題を後景におしやり正視するのをさけてきたということである、と半ば自覚したからなのではないかと思うのである。だからこそ、「ブッシュの戦争」論文では、先のように論述したのではないかと考えるのである。ただ、そうはいっても、コソボ空爆が現代世界史の本質的転換点だと把握し、それを九九年のJRCL国際アピールで表明してきたこの己を自己否定的に振り返り、ソ連邦の崩壊と対決しなおす、ということを避けたのだ、と私には思えるのである。それが、この両者の並存と、その「ブッシュの戦争」論文におけるきわめて解釈主義的な関連づけとして結果しているのではないか、と思うのである。

このことは、さらに、もうひとつの問題にねざしている、と私は考える。

黒田は一九九九年のNATOによるユーゴ空爆を現代世界史の本質的転換点であるととらえるのは、ひとつには国連決議なしの帝国主義同盟諸国による空爆ということにその根拠をおいている。同時に、この侵略によってユーゴの内戦が激化していくことが現代の宗教=民族戦争への世界史の転回となる、と彼がとらえたからではないか、と思える。彼は、一方では、「ポスト冷戦の神話をうちくだくシンボル」とさえ語ることによってこの宗教＝民族戦争への転回ということに期待を込めるとともに、他方では、二十一世紀の世界は混迷していく様相にあるという不安を表明しているからである。この問題は三章でふれる。

2 「ユーゴ空爆が現代世界史の本質的な転換点」ととらえることへの固執

黒田が「政治的・軍事的な本質的転換」と「国家独占資本主義の経済形態の転換」との区別だてをするのは、私には不可解なのである。これは、彼がプロレタリア世界革命の完遂の立場を喪失していることにもとづく、と思えてならない。

松代論文においてその筆者は「今日の国家独占資本主義をどのように分析すべきか」と問題を設定し、「いまや、現代ソ連邦の自己解体（一九九一年）とソ連圏の崩壊のゆえに、ソ連圏を構成していた諸国家が帝国主義世界経済のもとに呑みこまれ編みこまれたのであった。こうすることによって同時に、これらの国ぐにの経済をみずからのもとに編みこんだところの帝国主義世界経済、これを構成している帝国主義諸国・資本主義諸国の政治経済構造が変貌をとげることとなったといえる。」とのべ、この変貌を分析するべきである、としたのである。そして他方同時に筆者松代は、黒田が明らかにしている現代世界の本質的転換は一九九九年のユーゴ空爆にあるという現代世界にかんする認識がおさえられるべきである、だから、ユーゴ空爆が現代史の本質的転換でありソ連邦崩壊はその歴史的根拠だというこの時代認識にふまえて国家独占資本主義の新たな変貌を分析するのだ、と言っているのである。ところで、これにたいして黒田は、レジュメで展開した国家独占資本主義の一九九〇年代の分析において、国家独占資本主義の形態の転換の第一の条件として「ソ連圏あるいはソ連邦の大崩壊（ゴルバチョフの歴史的犯罪）」を措定している。つまり、松代論文で筆者がソ連邦の崩壊を決定的な外的条件として帝国主義世界経済が変貌をとげたと把握していることについては、それはそれで正当だ、と黒田は認めているわけである。そのうえで、「新時代の幕開き」というべき現代世界の転換を論じるのは「政治的・軍事的な観点」からの把握、つまり「政治的・軍事的な本質的転換」であり、国家独占資本主義の形態を把握するという問題とは別のことである、後者はあくまでもコソボ空爆なのだ、と批判しているのである。この黒田の松代批判をどう考えるか、このことが検討されなければならない。

松代論文では、われわれが国家独占資本主義論を帝国主義の現実形態論として展開するべきという問題をどのように明らかにしてきたのか、について、次のように論じられている。

「大内力は「国家独占資本主義にたいする恐慌論的アプローチ」を明らかにするにあたって、次のように述べている。「われわれはさしあたり通説にしたがって、全般的危機を『資本主義が世界経済の唯一の、またすべてを包括する体制ではなくなった時期、資本主義経済体制とならんで社会主義体制が存在し、それが成長し、成功して資本主義体制に対立する』にいたった時期と規定しておこう。そうすれば、それはいちおう一九一七年のロシア一〇月革命によってはじまったともいえるし、社会主義の成長・成功という点に力点をおけば、もうすこしのち、一九二〇年代後半にはじまったともいえようが、いずれにせよ、ここでは、この時期が、世界史的にいえば、もはや資本主義の発展段階としてこれを一義的に規定できないものになっている点が重要である。端的にいえば、むしろそれは社会主義の第一段階と規定すべきものなのである。国家独占資本主義はじつはそのような世界のなかにおける帝国主義段階の資本主義なのであり、そのことがあとでみるように、資本主義の側にも一定の質的な変化をひきおこさずにはいなくなったものと観念することができるであろう。」（大内力『国家独占資本主義』東京大学出版会刊、一一七頁）

大内力のこうした問題提起をわれわれは批判的にうけついできた。彼のいう「世界史的にいえば社会主義の第一段階と規定すべきもの」というのは、われわれの観点からは、「プロレタリア世界革命の完遂への世界史的過渡期」というべきであろう。ロシア革命の勝利と革命ロシアのスターリン主義的変質を外的条件とし、一九二九年恐慌ののりきりを内的要因として、帝国主義経済は国家独占資本主義へと推転した、というように、われわれは明らかにしてきたのであった。そしてこの形態変化のメルクマールは、金本位制を廃止し管理通貨制を実施したことにある、と。」

松代論文で筆者が言っているのは、帝国主義の国家独占資本主義の経済形態を問題にするのは、われわれが、プロレタリア世界革命の完遂への世界史的な過渡期が切り開かれたという時代認識をもち、プロレタリア世界革命を完遂するのだという実践的立場に立つからなのだ、ということだ、と私はうけとめる。なぜならば、国家独占資本主義とは、帝国主義ブルジョアジーが、ロシア革命の勝利と革命ロシアのスターリン主義的変質を外的条件とし、世界恐慌を内的要因として、自国のプロレタリアートによって打倒され没落する危機に陥ったがゆえに、これをおそれ回避するために編みだしたものなのである、とわれわれはとらえるからである。そうであるがゆえに、ソ連邦の崩壊は決定的な世界史的な転換という意味をもつのである、というわけである。この事態を結節点としスターリン主義は壊滅した。旧スターリン主義官僚は自国経済を資本主義化することによって自らが資本家的官僚や官僚的資本家へと成り上がり労働者人民をプロレタリアにつきおとしたのである。こうして現代世界は、「一国社会主義」というイデオロギーにもとづき革命ロシアが変質させられたことによって、帝国主義陣営とスターリン主義陣営とが角逐するものへと世界革命の完遂への過渡期が固定化された、というものでもなくなったのである。それは、世界史的な逆回転という意味をもったところの世界革命の完遂への過渡期へと転換してしまった、というように

われわれはとらえるべきなのである。

ソ連邦の崩壊は、帝国主義の盟主であるアメリカ帝国主義が世界支配の戦略を転換する結節点となったのである。じっさい、中・露の旧スターリン主義国を帝国主義世界経済に呑みこみ編みこむかたちで新たな商品＝資本市場に変質させるための策動を帝国主義は始めた。また、軍事的には、アメリカ帝国主義が一超帝国主義として先制攻撃を軍事戦略にたかめ、世界制覇を策動し始めた。彼らは、中東におけるスターリン主義の政治的影響力の喪失を背景として、石油資源を支配するために直接に軍事侵略にうってでた。これらの事態はその端的なあらわれである。

こうした事態にたいして、黒田が、ソ連邦の崩壊は国家独占資本主義の経済形態の転換の条件として措定はできるが「新時代の幕開け」としての「政治的・軍事的な本質的転換」はこれとは異なりユーゴ空爆にあるのだと区別だてし、それに固執することは、奇妙なのである。このように考えてくると、黒田のこの把握には、彼がプロレタリア世界革命の完遂の立場にたってソ連邦の崩壊と対決するということから身をさけていることがその根底にある、としか私には考えられないのである。

ユーゴ空爆が国連決議とは無関係になされたというのは、ソ連の崩壊以後激変する世界において帝国主

義が強行した軍事侵略という一事象にすぎない。ロシア革命の実現によってプロレタリア世界革命の完遂への過渡期はきりひらかれた。スターリン主義の自己崩壊と資本主義への転回によって、労働者はプロレタリアへとつきおとされた。これはプロレタリア世界革命への完遂の過渡期の逆転である、と憤激をもってうけとめるからこそ、われわれはソ連邦の崩壊を世界史の転換であるととらえるのである。そして、この現代世界に反スターリン主義を貫徹すると決断しスターリン主義の崩壊の根底を抉り出しこれをのりこえるのだという変革的立場に、われわれは立ったのである。黒田は、このことがとわれたのではなかったか。しかし、彼は、この問題に対決することをさけてしまった、これが根本的問題なのである。

三　何が問題か？――「暗黒の二十一世紀」と絶望するのはなぜか？

黒田は二〇〇三年のアメリカ帝国主義によるイラク戦争が「地球を四周したあのデモ津波にもかかわらず敢行された」とくりかえし語る。ここには彼の暗澹たる心情がにじみでている。そして彼は、この戦争を「暗黒の二十一世紀を約束している以外のなにものでもない」と言い切った。これは彼が二十一世紀世界は暗黒の世紀であると絶望していることの表白である、と私には思える。これは何ということなのか、と私は思うのである。彼が絶望したのは、ソ連邦の崩壊を「二十世紀の終焉」としてとらえたからである。二十世紀の終焉という意味は、ロシア革命によって切り開かれたプロレタリア世界革命の完遂への過渡期が終焉した、ということを意味しているのだからだ。こう断定している彼は、スターリン主義がなぜ崩壊したのか、その根拠を根底的にえぐりだし、反スターリン主義を現代世界に貫徹する、という立場を失っている。私はこのように現在、自覚した。このゆえに、なんとしても彼の挫折をのりこえなければならない、と考えるのである。

黒田は二七頁でこう言っている。

「暗黒の二十一世紀世界は、先どり的かつ図式的に言うならば、基本的には次の三極をなして激動してゆくであろう。……現代世界の脱イデオロギー風潮のゆえに、現代技術文明と世界各国に独自な文化との摩擦および抗争は同時に、キリスト教とイスラームとのイデオロギー的対立をも伴った「文明化＝工業化」をめぐる対立としてあらわれるであろう。けれども軍国主義帝国アメリカの世界制覇の野望にたいする階級闘争の進展と、第二および第三極に属する諸国ならびにイスラーム諸国の反抗によって、二十一世紀世界の趨勢は決定されるであろう。」（傍点は引用者）

これは宇宙船にのって地球をながめわたすような立場に立っての把握ではないだろうか。「軍国主義帝国アメリカの世界制覇の野望にたいする階級闘争の進展」と彼は言う。二十一世紀の帝国主義にたいするプロレタリアの闘争はたんなる階級闘争の進展ということではない。まさしくわれわれが反帝国主義・反スターリン主義世界革命戦略を現代世界に貫徹するのである。われわれは、そうすることによって、インターナショナルを創造し、世界各国の革命的プロレタリアが反スターリン主義で武装した前衛党を創造し労働者階級を階級的に組織するよう呼びかけるのである。こうして労働者階級の国際的な階級的団結をつくりだすこと、このたたかいを組織できるかどうかに労働者階級の今後はかかっているのである。

黒田はソ連邦が崩壊したのちの一九九二年にユーゴ内戦が激化したことにたいしてつぎのように語っている。

「ギリシア正教とカトリシズムとイスラームのあいだの宗教的対立と不可分に結びついた民族間戦争――これをいかに打開するか、ということは、世紀末をこえて二十一世紀の中心課題となるのである。しかも、そうした紛争に、数世紀にわたる歴史が影をおとしている。このことからするならば、資本制商品経済によって完全に抹殺され消滅した約一千年にわたるキリスト教支配が、ソ連邦の崩壊という歴史的事件をきっかけにして頭をもたげ、またそうすることにより反西欧・反物質文明のイスラームが長い眠りから目覚めて自己主張を始めたことにもとづくといえる。パーレビ国王を打倒した〝ホメイニ革命〟を起点にして、今日ますます激化しつつ歴史の表舞台に登場した宗教＝民族戦争は、ポスト冷戦の神話を打ち砕くシンボルとなっている。（一九九二年一二月二十三日）」（四二二〜二三頁）

黒田が現代世界をこのように把握している場合には、彼は、歴史主義、客観主義に陥っている。資本制商品経済によって抹殺され消滅した一千年にわたるキリスト教支配が、ソ連邦の崩壊という歴史的事件をきっかけにして頭をもたげ、イスラームが目覚めて自己主張を始めた、というような把握は、比ゆ的な表現をとったものという次元を完全にこえている。

ユーゴスラビア内戦がなぜ引き起こされ激化しているのか、そしてそれが宗教対立をともなって激化しているのはなぜなのか、このことは、旧スターリン主義官僚が資本家階級に転向し生き残るためにユーゴスラビアを資本制国家へとつくりかえるという策動をくりひろげていることにもとづいている、という把握が、まず失われている。セルビア正教とイスラームならびにカトリシズムとの宗教的対立をあおりたて民族浄化政策を遂行しているのは、新ユーゴスラビア、クロアチア、スロベニアなどの旧スターリン主義官僚どもなのである。彼らが自己の支配地域に資本制国家をうちたて、みずからは資本家階級として労働者をプロレタリアへとつきおとし、これを支配し、権力者的利害を貫徹するためなのである。彼らは、被支配階級にナショナリズムを貫徹し国家のもとに統合するために、歴史的過去のコソボの地におけるイスラームの支配の記憶をも呼び起こすかたちで、場所的に宗教的イデオロギーを利用し活用しているのである。この内戦が宗教＝民族紛争というイデオロギー的な意味を帯びているのは資本制商品経済によって抹殺されたキリスト教による支配がソ連邦の崩壊という「歴史的事件」をきっかけにして頭をもたげたということだ、などという把握は、それらのイデオロギーがいかなる諸実体によってどのように物質化されているのかということを無視抹殺している歴史主義的な解釈なのである。

ユーゴ内戦を遂行している権力者どもは、スターリン主義官僚から資本制国家権力者へと自己自身が転向したうえで、その策動をくりひろげているのだということ、これへの憤激をもって、われわれは、反スターリン主義の立場を貫徹し、彼らの策動とその根拠を実践論的にえぐりだし批判するのでなければならない。この立場を黒田は喪失してしまっている。先のような把握は、この立場の喪失のゆえになしうる歴史主義的で客観主義的な解釈だ、と私は考える。「パーレビ国王を打倒した〝ホメイニ革命〟を起点にして、今日ますます激化しつつ歴史の表舞台に登場した宗教＝民族戦争は、ポスト冷戦の神話を打ち砕くシンボルとなっている」と彼は言う。私はこの一九九二年のユーゴ内戦の分析には彼の淡い期待が込められているようにも感じる。それは、「労働者階級が世紀末現代において歴史の舞台から消えかかっている」（四〇七頁）、二十世紀末から暗黒の二十一世紀への過渡において米帝国主義に挑みうるのはイスラームなのではないか、という期待である。彼が九九年のユーゴ空爆を現代世界史の本質的な転換点であると規定したことは、このことと結びついている、と考える。けれども、これらすべてにつらぬかれているのは黒田の反スターリン主義の世界革命の立場の喪失である、と私は考える。われわれは、黒田の挫折をなんとしてものりこえなければならない。

二〇二三年四月二三日

『実践と場所　第一巻』黒田風土論への疑問

北条　倫

一　「日本人の精神風土」を基準とする賃労働者への不信感の表明

黒田寛一は『実践と場所　第一巻』（こぶし書房）で、「賃労働者としての日本人も、日本人らしさのようなものを喪失して無表情になり、日本人の精神風土とはおよそ無縁な存在になりさがり、彼らの感情も情緒も情動も干からびたものになっている。」（五七二頁）と書いた。疎外された労働を強いられている労働者が、たとえばコールセンターで顧客からの理不尽なクレームに対応させられ、あるいは秒単位で作業効率を計測される倉庫作業で疲れ切り、何も考えずにひとりになりたいと思う彼ら・彼女らが、「無表情」でいてはいけないのか。むしろ、黒田は彼らの無表情の中にプロレタリアとしての自己否定的直観を見いだすべきではなかったか。私は、プロレタリア前衛党の指導者から日本の労働者階級に対する失望が公然と表明されたことに驚きと悲しみをおぼえる。

だが、よりいっそう問題なのは、ニヒリスティックな失望感の告白以上に、黒田が賃労働者に対して「日本人らしさ」「日本人の精神風土」の欠如をあげつらっていることである、と私は思う。別の箇所でも「国際競争力をつけることにあくせくし、利潤追求を自己目的化したり投機にうつつをぬかしたりしている徒輩も、労働力商品としての自己存在についての自覚をもってはいない賃金労働者も、階級の違いをこえて、日本人らしさを喪失しているのではないか。」(同前、五五四頁)と書いているので、うっかり筆がすべったわけではなく、晩年の黒田は本気で「日本人の精神風土」の高みから賃金労働者が日本人らしさを失っていると非難したのだと受けとらざるをえない。あたかも階級的自覚よりも日本人としての精神風土のほうが大切であるかのように。

もちろん私は、黒田の次のような言葉には力強く背中をたたかれる思いである。「必要なことは、ただ次の一点である。——行為的現在において場所的立場に立脚しつつ直観し情熱的に思索し、そして意志を堅固にして実践するということである。」(同前、二八八頁)「この変革的実践につらぬかれ、これを支えているもの、それが《いま・ここ》において生きぬき働こうとする意志であり、将に来るべきものを実現しようとする燃えたぎる情熱である。」(同前、二五三頁)

だが同時に、変革的実践において「日本的な精神風土」を殊更に強調する以下のような論述にはひっかかるのである。「有限な生命体としてのわれわれが投げこまれている社会的場所の歴史的被制約性を、その日本的風土性を、またそこにおくりこまれてあるのだとはいえ消えかかっているとさえいえる日本的な精神風土を、このようなものとして凝視しつつ、われわれは《いま・ここ》において何をなすべきか、ということを真剣に思索し熟考し哲学するのでなければならない。」(同前、七〇六頁)はたして、「日本的精神風土」が問題なのだろうか。それが「消えかかっている」ことに、われわれは危機意識を持つべきなのだろうか。

風土論の検討に入るまえに、賃労働者の「無表情」についての黒田の嘆きに対応して確認しておかなければならない。第一に「日本人の精神風土とはおよそ無縁な存在」であっても、そのような賃労働者は決して階級闘争とは無縁な存在にはなりえない、だから彼ら・彼女らを「なりさがった」と表現した黒田の価値意識のほうが狂っていること、第二に、精神風土は環境的自然→生産様式→生活様式→精神的生産の主体のメンタリティという規定・被規定の関係において、「永い永い歴史を通じて育まれてきた」(同前、六六四頁)ものとして「「人―間」的諸関係の歴史的産物」(同前、五五二頁)であるとされる以上、それがどのように変容するかをめぐって「五無人間」を非難したり賃労働者に不信感を表明したりするのは意味がないこと、これである。かれらはすきで「日本人らしさ」をなくしているわけではないのだから。

二　和辻哲郎風土論に対する批判の回避

『実践と場所　第一巻』で再三言及されているのが和辻哲郎の風土論である。まず、和辻の『風土、人間学的考察』(岩波文庫)から、そのアウトラインをまとめておく。

和辻によると、風土とはいわゆる自然環境のことではなく「人間存在の構造契機」として「主体的な人間存在の表現」である。たとえば風土の契機である「寒さ」は客観的な冷気ではなく、すでに我々の存在の構造契機として我々の中にあり、「寒さを感ずるということにおいて我々は寒さ自身のうちに自己を見いだす」のである。そのようなものとして風土は「人間の自己了解の仕方」である。そして寒さを感じるのは我れのみではなく我々が「同じ寒さを共同に感ずる」のだから、我々は風土において「間柄としての我々自身」を見いだすことになる。（以上、和辻前掲書、三頁〜二〇頁）

右記「風土の基礎理論」にふまえ、「風土の型が人間の自己了解の型である」（三一頁）ことから、和辻は文化を、モンスーン型（インド）、砂漠型（アラビア）、牧場型（ヨーロッパ）の三類型に分け、さらにモンスーン的風土の特殊形態としてシナと日本をあげるのである。

ここで、黒田『実践と場所　第一巻』での和辻風土論への言及をめぐる諸問題を指摘しなければならない。

第一に、和辻は人間意識から独立した存在として自然を措定する唯物論的立場を明確に否定し自然を人間存在の構造契機としているのだが、黒田はこの点をまったく批判せず、和辻風土論の紹介に終始するのである。（黒田前掲書、四三〇頁〜四三三頁）

和辻はいう、風土は「『人間』の有り方であって、人間と独立なる『自然』の性質ではない。」（和辻前掲書、六四頁）あるいは、「人間は単に風土に規定されるのみでない、逆に人間が風土に働きかけてそれを変化するなどと説かれる」のは「すでに具体的な風土の現象から人間存在あるいは歴史の契機を洗いさり、それを単なる自然環境として観照する立場」であって、それは「自然環境と人間との間に影響を考える常識的立場」の一種でしかなく、「真に風土の現象を見ていない」（同前、一九頁）のだと。

だが、仮に文化の類型が風土によって決定される因果関係を考えるなら、黒田も書いているように「人間存在およびそれがおいてある場所を超越するところのものを、だがしかし絶えざる人間実践をつうじて、その超越性において同時に内在化され・そうすることにより限りなく認識が深められるとともに変革されてゆくところのもの」（黒田前掲書、一五一頁）を《物質的＝自然的なもの》としてわれわれは前提することになる。ところが、黒田はこの内容を和辻批判としては語らない。

戸坂潤によれば、和辻にとって風土性を自己了解するためには「風土即主体という定式」さえあればよく、「因果的な説明などはいらない」（戸坂潤「和辻博士・風土・日本」『戸坂潤全集第五巻』勁草書房、一〇二頁）のである。たとえば、モンスーンの吹き付けるインド洋を船に乗って旅行する和辻は、モンスーン的人間存在の構造契機として大気の湿潤と受容的・忍従的な性格を直観し、自己了解したわけである。

あるいは黒田は、マルクス主義に対抗して人間存在の風土性を論じた和辻をあえて批判するのは野暮であると考えたのだろうか。けれども『実践と場所』を読むわれわれは、風土性をわれわれの内なる構造契機が「外に出る（ex-sistere）」（和辻前掲書、二六頁）ものと把握するわけにはいかないのである。

第二に、和辻哲郎批判を回避する黒田は、「間柄」や「世間」という概念について詳しくは和辻の『人間の学としての倫理学』を参照されたい（黒田前掲書、四二四頁）と言いながら、和辻『人間の学としての倫理学』第一章一一「マルクスの人間存在」（岩波全書、一六四頁）で展開されているマルクスの曲解は等閑に付すのである。和辻はマルクスの生産関係を「生産的な間柄」と言い換え、社会は「すでにそれ自身の内に「間柄」を可能ならしめるような一定のふるまい方を含んでいる。」（同前、一七六頁）とする。和辻はあくまでも人間存在の空間性ないし風土性に基づく人間存在の動的展開として「生産的な間柄」をとらえているのであり、それは生産諸関係をとり結ぶ実体たる人間・階級ぬきの概念にほかならず、マルクスの生産関係から歴史的・階級的被規定性を取り払ったものである。われわれにとっては生産手段の所有関係こそが問題なのであって、和辻の「生産的な間柄」概念を採用する理由はない。

さらに、和辻が『風土』の第五章第四節「ヘーゲル以後の風土学」で論じている「マルクス風土論」、捏造といってもいいそれを黒田は批判しないままであること、これが第三の問題である。われわれにとっての和辻風土論の核心は、超歴史的・超階級的風土とその表現として階級横断的に規定される国民性（ナショナリティ）であるのに、黒田はそこに反応できていないのだ。

ここで和辻は「新ライン新聞上でのマルクスの国民に関する諸論文」から国民（ネイション）の定義なるものを紹介する。「彼は国民を定義して、土地、気候、種族等の特定の自然基底の上に、歴史的伝承、言語、性格の特徴、などを同じくしつつ、歴史的・社会的発展過程によって生じた大衆的形成体であるとする。」（和辻『風土』三四七頁）もしも、初期マルクスが一八四八〜四九年にネイションをこのように定義したのなら、カウツキーもバウアーもスターリンも、みなこの定義に依拠しようとしたはずであるから、この定義はマルクスによるものではありえない。内容的には、これは一九一三年のスターリンによる定義を前提に改良を加えられた種々の定義のひとつであって、風土的色彩が強いことからこれに和辻が注目したものと思われる。和辻は「国民性の考察」の講義ノートでネイションの定義をハインリヒ・クノウ（ドイツのマルクス主義経済史学者で昭和初期に多くの邦訳が出版されている）の著書からとってきたのだと言われている（津田雅夫『和辻哲郎研究』青木書店、一二八頁）が、詮索する必要性は乏しい。

ネイションの定義に続けて和辻は、マルクスによる「物質的生産過程における風土的規定」の記述を紹介したうえで、風土的規定は人間存在の構造に属するので、物質的生産過程にとどまらず人間存在の全面にわたって働くのであり、「それは階級の対立が激化したからといって消滅するようなものではない。」（和辻前掲書、三五〇頁）と風土的規定の超階級的性格を強調するのである。だから、「日本人の著しい敏感性、テンポの早い感情の動き、陰気さを印象する疲労性、などの特徴も、季節の移り変わりの烈しい日本の風土の表現であって、階級の別には関せない」（同前、三五〇頁）と、日本人に共通な性格すなわち日本人の国民性（ナショナリティ）は超階級的なものだというのである。和辻がネイションの定義をもちだしたのは、風土およびナショナリティが「国民的」なものであること、言い換えれば階級に関わりないものだと論ずるためであったのだ。和辻はさらに言う、マルクスも風土に規定されたナショナリティの超階級性を知っていた、と。「なぜなら彼は、プロレタリアが政治的支配を獲得した後には、己れを国民的階級に高め、己れを国民に構成しなくてはならぬと言っているからである。」（同前、三五〇頁）このように『共産党宣言』の「労働者は祖国を持たない。」につづく一節を利用して、和辻は「プロレタリア自身にも国民的特性が存する」ことをマルクスは「承認」していたとこじつけるのである。

和辻はここで、マルクスを騙って①風土には階級性がないこと、②「風土の表現」たるナショナリティにも階級性がないことを主張したわけである。和辻のいう風土性の展開は、家、地縁共同体、文化共同体および国家という「人倫的組織」として具体化されるのだから、たとえ人間存在の歴史性が言われても、それらは「人倫的組織」の歴史にすぎず、共同体を構成する諸実体がとり結ぶ生産・分配の関係すなわち階級関係は意識されないのである。

では、風土の階級性、ナショナリティの階級性の問題は『実践と場所　第一巻』でどのように論じられているのか。黒田は、和辻風土論の紹介に先だって『資本論』から自然的諸条件にかかわる叙述を引用しており（黒田前掲書、四二八頁）、それらの自然的諸条件を「気候と風土」とよぶ。そして和辻の文化類型論を批判的に紹介する。「風土的要因から文化類型を特徴づけることには限界があるということが忘れられてはならないであろう。人間生活の社会的生産の様式が、つまるところ生産＝生活様式が風土的特殊性に反作用し、この地理的特殊性を逆規定する、という側面は見逃されてはならないのだからである。」（同前、四三一頁）というように。しかし、和辻が紡績業などの具体例をあげ風土が物質的生産過程を規定するという、その限りでは誤りではない説明をした直後につづけて論じた階級性にかかわる問題については、黒田はこれを批判しないのである。なぜなら、黒田は「階級意識がその深層に精神的風土を無―意識的に宿している」（同前、五五〇頁）と考えているのだから。黒田は言う、「資本制生産関係に編みこまれた人間は、たとえ歴史意識や階級的価値意識にみちあふれていたとしても、それぞれのエスニック集団がそのなかで育まれてきたところの伝統的文化ないし精神風土から、完全に解き放たれているわけではないのである。」（同前、五五〇頁）

黒田自身の風土論について、それを再構成したうえでその問題性を検討する課題は厳としてわれわれに突きつけられているのだが、ここでは先に和辻の主張に対応しなければならない。

①　風土が階級にかかわりない、という主張について。和辻は、風土が人間存在の構造契機であり、その構造契機が「我々」に共通なものであると仮定するのだが、階級的に分裂した、疎外された社会ではその仮定は幻想にすぎない。和辻は「我々は同じ寒さを共同に感ずる」のであり、「我々の間に寒さの感じ方がおのおの異なっているということも、寒さを共同に感ずるという地盤においてのみ可能になる。」（和辻『風土』一四頁）と言う。しかし、階級社会においては、一方には完璧な空調設備に恵まれ気温など意識に

のぼらないブルジョアジーもいれば、他方「寒さ」がただちに死を意味するホームレスの人々もいるのだ。そこに「寒さを共同に感ずるという地盤」は存在しない。これは自然的・環境的風土だけでなく、社会的・文化的風土についても同様である。人間存在の構造契機の階級横断的共通性が疑わしい以上、超階級的な風土を想定することはできない。

② 国民性、ナショナリティが階級にかかわりない、という主張について。和辻はネイションを超階級的な国民として前提し、全国民にとって普遍的な「国民道徳」を構想したのであり、そのために日本的な風土とその表現としての日本人のナショナリティを解明しようとした。もちろんこの試みは風土が全国民にとって共通のものであることを前提として初めて可能になる。だが「季節の移り変わりの烈しい日本の風土」(同前、三五〇頁)も階級にかかわりなく存在しえない。和辻がそのような日本的風土として例示した台風にしても、農作物への被害をこうむる農民、漁に出られない漁民、通勤の足を奪われる賃労働者など大きな影響を受ける者ばかりではない。階級社会においては台風に無関係な生活の仕方もありうるのである。だから、風土は幻想であり、そうであるなら風土の表現形態としてのナショナリティも幻想である。

われわれは、ブルジョアジーが、自らの特殊利害を「共同の利害」として貫徹するために、諸階級に分裂したブルジョア国家の領域内の住民を、歴史的過去からひきつづき存在するものとされたエスニックな共同体という「幻想的な共同体」の成員として統合したものがネイションであると考える。だからネイションの性格を階級にかかわらないものとして規定しようとすることじたいにブルジョア的階級性が刻印されているのであり、和辻は彼が厳しく批判した忠君愛国をあおる国家主義者に比べればはるかに良質であるとはいえ、ブルジョア・イデオローグであったと言わざるをえない。

第四に、和辻の文化類型論、とくに日本人のナショナリティないしメンタリティについての黒田の言及をみておく。

和辻は『風土』第三章において、日本人のナショナリティの風土類型を、モンスーン的風土である受容的・忍従的な存在の仕方の特殊形態として位置付ける。モンスーン的受容性・忍従性が熱帯的・寒帯的な二重性、また季節的・突発的な二重性をもつものとして現れるという。まとめると、「それはしめやかな激情、戦闘的な恬淡である。これが日本の国民的性格にほかならない。」（和辻前掲書、二〇五頁）となる。

「二重性」が乱発される和辻の文化類型論にはどうしても一種のいかがわしさ、血液型性格判断にまつわるようなそれを感じるのであり、発表から八〇年を経過した現在では学ぶところは少ないと思う。じっさい、和辻の風土論を高く評価する学者からもその文化類型論について「極端に単純な因果関係をあてはめ、気質を気候に従属させている」ために「かなり底の浅い決定論に陥ってしまっている。」（オギュスタン・ベルク『風土の日本』ちくま学芸文庫、六〇頁）と批判されている。端的に言えば、それは和辻の個人的印象の垂れ流しなのである。そもそも、対象的認識ではない「自己了解」が可能になるのは人間存在の構造契機として風土性が内在化されているからであるのに、たとえばたんなる一旅行者にすぎないモンスーン的人間の和辻が砂漠的風土を自己了解できるのか疑問なのだ。この点について、和辻は「旅行者はその生活のある短い時期を砂漠的に生きる。彼は決して砂漠的人間となるのではない。……が、まさにそのゆえに彼は砂漠の何であるかを、すなわち砂漠の本質を理解するのである。」（和辻『風土』六六頁）と言うのである。この正直な嘘には、思わず笑ってしまう。和辻はひとをだましたりするのが苦手ないい人なのかもしれない。

黒田も和辻の文化類型には否定的である。主な批判点は以下の諸点である。

① 自然破壊と無関係にヨーロッパ文化を「牧場型」とするのは一面的である。

② 中国や日本の文化を「モンスーン」型と一括するのは無理である。

③ 「モンスーン型風土」の心情は「忍従」ではなく、環境に順応する頑張りである。

④ 「砂漠型」を一つの類型にするなら、イヌイット型、ツンドラ型、海洋型、山岳型も必要である。

そして黒田自身が「簡潔に、地球上の各地域の気候風土に左右された生活（生産）様式と文化を特徴づける」ことを試みる。しかし、具体的には「荒野を疾駆するカウボーイ―自動車―ジャズ」（現代アメリカ）のように首をかしげたくなるものや、「砂漠―オアシス―ナイル川」（北アフリカ）のような陳腐なものを合わせて一五個も並べたあげく、「かくして明らかに、風土との関係における地域文化や民族国家別の文化を特徴づけることには限界があり、文化類型を発見することは無意味に近いと言わなければならない。」（黒田前掲書、五一〇頁）と、文化類型の特徴づけを断念するのである。

黒田はカンツォーネだのシルクハットだの、あれこれ苦心惨憺しながらも、いかにも楽しげである。自身の足元にはブルジョア民族主義の陥穽が口をあけているというのに。黒田がここでやっているのは和辻と同じこと、すなわち「階級の別には関せない」ナショナリティの特徴づけなのだ。

三　黒田風土論の問題性

1　精神的風土の歴史貫通的把握

では、黒田がその喪失を嘆く「日本人らしさ」「日本的精神風土」とはどのようなものか。それは、たとえば、「奥ゆかしさ、慎み深さ、情け、慈しみ」だったり「にこやかな表情」や「恥じらいの表情」、あるいはおじぎなどの礼儀作法だったりする。その無表情ゆえに非難された賃労働者は、黒田の前ではきちんとおじぎをし、にこやかに挨拶すればよいのだろう。

問題はこれらの風俗・慣習や「四季のうつろいに敏感な情緒」が、「永い永い歴史的過程をつうじて形成され、今日にまでおくられてきている」（黒田『実践と場所　第一巻』五七四頁）ものと把握されていることである。はたして、そうなのか。黒田が「古い古い習慣」（同前、四八〇頁）としている地域社会の風習の多くは江戸時代以降の近世に起源をもつことが確認できるし、老黒田が口やかましく言う礼儀作法については、それが一般化したのは明治時代前期に小学校の「修身」の授業の中で礼法があつかわれるようになり、多くの種類の教科書が出版されてからである。江戸時代の小笠原流礼法は、支配階級たる武士限定のものであった。

むしろ、黒田言うところの、「精神風土」は日本に近代国民国家（ネイションステイト）が成立すると同時に天皇制ボナパルティズム国家権力が諸階級を日本国民として統合するために、有象無象のブルジョア・イデオローグどもとともに創造した虚偽のイデオロギーととらえられるべきものである。

黒田は「精神風土」を次のように規定する。人間的自然とともに社会的場所の一契機をなす環境的自然が人間生活の物質的＝精神的生産に地域的特殊性（＝風土性）を刻印し、この風土性が生産（＝生活）様式を介してエスニシティの形成に作用する。精神的風土とはエスニシティの契機となった風土的特殊性のことである、と。そしてそれは「それぞれの社会の地域的特殊性を帯びた「人―間」的諸関係の歴史的産物」（同前、五五二頁）であり、人間的自然が環境的自然に密着する度合いに応じて「相対的に持続的なものとして、つまりは伝統的なものとしてひきつがれる」（同前、五七九頁）と言うのである。

黒田はエスニシティが「先史時代からの永きにわたって」（同前、五五一頁）あるいは「原初の時代から今日にいたるまで」（同前、五六五頁）持続してきたというのである。その場合、風土的特殊性にみあう生産（生活）様式が「自然発生的に創造され」（同前、五六五頁）、「歴史的社会的被制約性を刻印されながら」（同前、五五二頁）変転してきたのだという。血縁的・地縁的な人間的諸関係において、世代から世代へと伝承や教育によって「精神的風土」がエスニックグループの諸成員の「深層意識」の中に「沈澱」し続けてきた、と黒田は想像する。これは、エスニシティの、したがって「精神的風土」の、歴史貫通的把握である。歴史的過去に存在したエスニシティが、生産様式・生活様式の変転にかかわらず、階級関係の変化にかかわらず、単線的に膨張ないし持続してきたということになる。黒田は生産諸関係とその諸実体を措定しないまま、生産様式の歴史的変転を口にする。だが、生産様式が変転するなら、われわれはそこにエスニシティおよび「精神的風土」の断絶をみるのでなければならない。支配的生産様式に規定された文化は、支配階級の中で創造され伝播していくものなのだから、支配階級の変遷はエスニシティの相対的持続性、連続性の阻害要因としてはたらくであろう。もちろん黒田は歴史学者でも民俗学者でもないのだから、その論述に実証性はもとめない。が、無階級社会から今日までのエスニシティの持続という物語は荒唐無稽であると思う。

次のように「虚構的エスニシティ」をとらえるべきではないだろうか。「いかなるネイションも生まれながらにそのエスニック的基礎を備えているのではない。そうではなく、諸社会構成体がナショナライズドするのに応じて、諸社会構成体に包摂されている住民――諸社会構成体の間に分けられ、かつそれらによって支配される住民――が「エスニック化」するのである。」（エティエンヌ・バリバール『人種・国民・階級』唯学書房、一四九頁）

伝え聞くところによると、最近の日本では「革命的左翼」まで「エスニック化」しているらしい。

2　精神的風土の超階級的把握

黒田は、和辻が「日本の風土の表現であって、階級の別には関せない」としたナショナリティの特徴づけを批判しえず、みずからも和辻同様の諸文化類型の特徴づけを試みたのであった。次に、黒田が『実践と場所　第一巻』で展開した風土論において、「精神的風土」の階級性についてどのように論じられているかを検討する。

黒田は言う、「それぞれの地域の風土的特殊性にも規定されつつ成立するところの、階級社会において生き働いている人びとにみられるメンタリティの共通性や習慣・風俗・習俗の共通性を対象的に規定した概念が、精神的風土であるといえる。」（黒田前掲書、五五二頁）と。ここで言う、「階級社会において生き働いている人びと」が問題なのである。黒田はそれを「ブルジョア社会的人間」と言い換えている。プロレタリア的人間でもなくブルジョア的人間でもない「ブルジョア社会的人間」とは、「資本制生産関係に編みこまれた人間」のこととされているのであり、この資本制生産関係とは、生産関係をとり結ぶ諸実体を取り払った和辻の「生産的間柄」のようなものである。まさしく階級関係をブルジョア・イデオロギーにもとづく把握で塗りつぶしたとでもいうような国民一般を指すのが、「ブルジョア社会的人間」である。そして黒田は、階級性を抜き取られた、そのような国民は、ひとしく「精神的風土」を意識の深層に宿している、とするのである。「ブルジョア的民族が形成される以前に形づくられてきたエスニック集団のエスニシティが、ブルジョア社会的人間のメンタリティの下層に畳みこまれるかたちで沈澱している」（同前、五五〇頁）のだ、というように、である。かくして、黒田のいう「精神的風土」は超階級的なものであることが宣言されたのである。これはほとんど、和辻が風土的規定は「階級の対立が激化したからといって消滅するようなものではない」（和辻『風土』三五〇頁）と人間存在の構造契機の階級横断的な共通性を主張したのと瓜二つである。

黒田は「ブルジョア社会的人間」の「メンタリティの共通性」から「精神的風土」の超階級性を導いた。しかし、「階級的疎外にたたきこまれている人びとには、彼らに共通的なものとしての、「日常生活経験や実践的体験をつうじて人間存在の内に」つくりだされている「社会的に共通的な価値意識性」などというものは存在しない。そのようなものが存在すると考えるのは幻想である。」（「北井信弘のブログ」二〇二三年一月二九日「階級社会への転換の抹殺」）

ブルジョア社会の諸階級にメンタリティの共通性など存在しないと考えるわれわれは、黒田が「消えかかっている」ことを嘆く「日本的な精神風土」なるものは幻想であると言わなければならない。

3　「風土」の導入は何のためか――高島善哉の風土論との酷似

『実践と場所　第一巻』を検討して不思議に思うのは、そもそも黒田はなぜ「日本人の精神的風土」をプロレタリア的価値意識に優位するものとして論述したのかということである。黒田の問題意識を推測するのはひとまず控えるとして、やはり「マルクス主義」風土論を展開した高島善哉についてふれておかねばならない。高島の場合、黒田と相似形をなす風土論のうえに、そのナショナルな問題意識が露骨に告白されているからである。（高島は「ナショナル」の訳語としてある民族主義的、国民主義的、国家主義的の三者を厳密に区別すべきと言うが、血縁によるまとまりの民族、政治的統一体の国民、統治形態の国家という高島による没概念的区別は本論ではあえて採用せず、高島をナショナリストととらえることにする。）

こぶし書房から刊行された『高島善哉著作集第四巻　現代日本の考察』の帯には、「民族と階級、そのトポスとしての風土」とあり、風土によって民族を階級に結びつけるという高島の問題意識が端的に表現されている。高島は階級を民族に結びつけるための「ひとつの思いつき」（高島善哉『現代日本の考察』著作集第四巻、二四三頁）として「民族は母体であり、階級は主体である」という命題をたて、民族と階級を接着するための接着剤として風土を導入するのである。

高島の風土論は、以下のようなものである。

① 人間の生産的実践を媒介にして自然的風土と社会的風土が歴史的に形成される。

② 風土は「きわめて長い歴史の過程のうちに形成され、それが人間の体質および気質として沈澱してきたもの」（高島善哉『民族と階級』現代評論社、三六三頁）である。これは、黒田の文と見まがう論述であり、高島の風土は、黒田同様に歴史貫通的なものである。

③ 風土は「日本の資本家も日本の労働者もともに日本人であり、一つの民族共同体の成員であるという点においては、共通の地盤のうえにおかれていることは誰もこれを否定することはできないであろう。この共通の地盤を私は自然的ならびに社会的『風土』と呼びたいのである。」（同前、五四頁）とされており、高島は自身の言う風土が超階級的なものであることを隠さない。

④ 「民族は母体であり、階級は主体である。」という「基本テーゼ」における民族と階級の媒介項として風土を導入する。

以下④について説明を補足する。

第一に、「基本テーゼ」と言いながら、民族が何の「母体」であり、階級が何の主体なのか高島は明言を避ける。ここで言われる階級とはプロレタリア階級に限定されるものではなく、ブルジョアジーも念頭におかれる。すると、常識的には「何の」は「階級闘争の」という解釈に帰結する。高島も「階級は階級闘争の主体である」という同語反復的無意味さに気づいているのであろう、「歴史の主体」「現代史の主体」「国民国家形成の主体」等々の説明を後から小出しに追加する。「階級の主体性」とは、整理すると、ブルジョア革命の主体はブルジョア階級であり、反帝国主義的植民地解放闘争の主体はプロレタリア階級である、ということになる。

第二に、高島言うところの「社会科学的」風土論における「基本テーゼ」に「母体」という比喩が含まれている問題。高島は「母体」を「文学的表現」と言っているが、そのような比喩を使わずとも、高島が母体に似ていると考えた民族の性質を具体的に説明すれば足りる。だが、高島は、民族が階級のエネルギー源であると、またしても比喩的な説明を重ねる。階級は「民族のエネルギーを汲み上げ、結集し、それに新たな形式を与える」ことで「民族と生きたつながりを持つことができる。」（高島前掲書、五六頁）と言う。

第三に、「基本テーゼ」のうちにはなお説明されていない「風土」の役割について。高島の説明によると、民族は風土によって歴史的に形成されたのであり、「民族の核心」は、「人種とか国土とかいったような自然風土的な契機と、言語や文化的伝統というような社会風土的な契機との相互媒介によって歴史的に生成してきた共同体だという点にある。」（同前、九頁）他方、階級については、その個々の成員の間には「共通の風土的性格」があるという。高島は中村雄二郎との対談で、「階級が主体であるといっても、たとえば資本家階級にしろ、あるいは労働者階級にしろ、これを形成するのは個々の資本家または労働者であり、ともに日本民族という一つの共同体の中で生まれ、成長してきたという共通の性格（共通の風土的性格）をもっている」（『現代の眼』一九七〇年六月号、四一頁）のだと力説しているのである。

結局、風土が民族と階級を規定し、民族が階級に階級闘争のエネルギーを与える、という話である。高島の真似をして比喩的に言えば、さしずめ、風土は階級闘争の「母体の母体」となるであろう。

しかし、右記のような高島の風土論の問題性について、われわれはここでも再度指摘しておかねばならない。

第一に、民族（ネイション）は高島が言うように「歴史的に生成」したものではなく、近代国民国家（ネイションステイト）のブルジョア国家権力が諸階級を統合するために領域内の住民を歴史的過去から持続してきたエスニックな共同体という「幻想的な共同体」の成員と規定した、虚偽のイデオロギーである。

第二に、階級社会にあっては、諸階級に「共通な風土的性格」など存在しない。高島は「階級と民族は次元を異にしている二つのカテゴリーなのである」が「民族は階級や体制を越えている」（高島『現代日本の考察』著作集第四巻、二四五頁）といい、それは「たとえ資本家であろうと、労働者であろうと、私たちはすべて日本民族の一員である点においてひとつの共同の地盤をもっている」（同前、二四五頁）からだ、と理由づけするのである。しかし、このような理論は成立しない。階級というカテゴリーは、生産手段の所有関係に基づくのであって、そもそもエスニックな契機は含まないのである。高島は個々の労働者、資本家の意識をもちだすことによって諸階級に共通な風土的性格を捏造したにすぎない。

高島が風土概念を導入した意図は、諸階級を風土というエスニックな基盤に位置づけることにある、と一応は言える。だが、高島の本音は別にある。高島はより具体的に日本の将来像を展望しているのであり、それは高島流のナショナリズムに基づく。これが第三の問題である。

高島は言う、「同じ血のつながりをもっている人びと、したがって同じような感じ方や考え方をする人びと、したがって同じ言葉をはなす人びとが、一定の国土の上で共同の政治的経済的文化的生活をもちたいという欲求ほど、人類にとって根源的で自然なものはないであろう。」（同前、二二三頁）これは排外主義の容認といえるのではないだろうか。また、次のような手放しの日本礼賛は、日本民族主義というしかない。「私たちは日本人であるから、日本を愛する。それはあたりまえのことだ。私たちは日本人であるから、日本民族のエネルギーを信ずる。これもあたりまえのことだ。」（同前、一七八頁）

高島風土論の帰結は、日本的風土によってつくられた日本民族、この日本民族に支えられたところの日本人としてのプロレタリア階級が日本階級闘争の主体である、ということになる。高島はいくら批判されても、『共産党宣言』の曲解をやめなかった。まさに和辻哲郎が『風土』で利用した箇所である。「労働者は祖国をもたない。何びともかれらのもっていないものを、かれらから奪うことはできない。プロレタリア階級は、まずはじめに政治的支配を獲得し、国民的階級にまでのぼり、みずから国民とならねばならないのであるから、けっしてブルジョア階級の意味においてではないが、なおそれ自身国民的である。」（『共産党宣言』岩波文庫、六五頁）これを高島は、「プロレタリアは民族的な疎外を受けている」（高島『現代日本の考察』著作集第四巻、二五〇頁）のだから祖国をもち、ネイションとならねばならない、と解釈し、プロレタリア・インターナショナリズムをコスモポリタニズムと難じ、「プロレタリアートは祖国を持つことができ、もし必要ならば、祖国を持つために戦わなければならない。」（高島『民族と階級』現代評論社、三二八頁）とまで言うのである。

このようなあからさまな歪曲の結果は、グロテスクな未来像であり、決して国家（ネイションステイト）が死滅することのない、社会主義社会、共産主義社会である。「社会主義国家は二乗された市民的国家であり、共産主義国家は三乗された市民的国家である。」（同前、三二一頁）高島の弟子にあたる村上一郎によれば「体制が資本主義から社会主義にと変革されようとも、わたしらはまたわたしらの子孫はやはり黄色っぽい顔をして日本語でものをいい、かつ日本語でものを考えるであろう。」（村上一郎「高島善哉氏の感度――民族と階級によせて」著作集第四巻三三一頁解説より重引）というのが高島の描いた未来想像図なのだ。

高島は、「そこから暗示を受けた」（『現代の眼』一九七〇年六月号三〇頁）和辻哲郎の風土論、これから受け継いだところの「共通の風土的性格」をもってする階級性の抹殺から、日本民族を「母体」とし日本人としてのプロレタリアートを主体とする階級闘争へ、さらに国家が死滅せざる共産主義像の妄想にまで行きついた。

『実践と場所　第一巻』の黒田もまた、和辻風土論の受容をつうじて、「日本人としての精神的風土」、それを階級横断的・歴史貫通的なものとして論述したのであった。高島はともかく黒田にしてこうなのかという思いである。ブルジョア民族主義への落とし穴はあちらこちらにあいたままである。「ヘーゲルは、叡智を運ぶミネルヴァのフクロウは夕暮れに飛び立つ、と言った。いまやネイションとナショナリズムの周りをミネルヴァのフクロウが旋回しつつあるが、これは吉兆である。」（アントニー・D・スミス『ナショナリズムとは何か』ちくま学芸文庫、一九五頁より重引）というホブズボームの言葉は、まだ早すぎると言うべきだろう。

二〇二三年三月六日

晩期黒田寛一論ノート

松代秀樹

一　新たなナショナリズム——黒田寛一の日本人論に孕まれているものは何か

「革マル派」中央官僚派が、彼ら独自のナショナリズムに転落したことをあばきだし、その根源をえぐりだしていくためには、ナショナリズムにかんする理論的ほりさげが不可欠である。この理論的作業を実現していくためには、この問題について、革命的マルクス主義の立場にたって、反スターリン主義理論として、もっとも深く探究し創造してきている黒田寛一の論述を検討していくことが必要である、と私は考える。テーマとする分野にかんして、最高のものをわがものとして主体化し、さらにそれを深化していくことが、場所的現在において、この物質的現実を変革するために苦闘するわれわれの任務をなす、と私は考えるからである。

〔1〕 エスニシティ

エスニシティにかんして、黒田寛一『社会の弁証法』(こぶし書房、一九九四年刊)において次のように展開されている。

「近代国家の成立いぜんに存在していたエスニシティ、すなわち、それぞれの地理的・気候的な諸条件に決定された一定の地域において、特定の人種・言葉・文化・宗教(自然宗教をふくむ)・生活様式を共有するところの集団としてのエスニック・グループ、――そのいくつかがブルジョア的に統合されることによって創造された歴史的産物が、民族(ネイション)なのです。

いいかえれば、基本的には、特定の地域において、それぞれ同一の人種・言葉・伝承文化・生活慣習にもとづいてつくりだされた種族または部族をば、または近代的ネイション・ステイトの内部に存在する少数民族をば、ブルジョア的近代以降に成立したネイション・ステイト(民族国家または国民国家)の観点から規定しなおした概念、これがエスニシティまたはエスニック集団であるといえるでしょう。」(二八四頁――傍点は原文。以下同じ)

ここでは、エスニシティにかんして、「……をば、ブルジョア的近代以降に成立したネイション・ステイト(民族国家または国民国家)の観点から規定しなおした概念」というように明確に規定されている。この規定は、黒田が、実践的＝場所的立場にたって、現在的に生起した問題を理論的に解明するために明らかにしたものである、と私は考える。

このことが展開されている、引用文の後半のパラグラフを拠点にして、前半のパラグラフを理解すべきである、というように、私は考える。このように理解するのではなく、後半の論述から切断して前半の論述だけを自立化させて理解するならば、エスニシティが寄り集まっていって民族が形成された、というように、歴史的・過程的に把握する誤謬がうみだされる可能性があるからである。いや、「革マル派」中央官僚派のエスニシティにかんする把握は、それの歴史的・過程的な把握というのを通り越して、エスニシティは歴史貫通的に存在していたし、これからも存在するものである、という把握に転落しているのである。

ところで、黒田の論述の内容面を見るならば、次のことが疑問としてわきおこってくる。何々をば、ネイション・ステイトの観点から規定しなおす、その何々とはいったい何なのか、ということが、それである。その何々については、ここで「種族または部族」と書かれている。

部族というばあいには、それが現代的なものであり、しかも他と隔絶された地域に現存在していたのではないものとしては、「アラブの春」のときの、カダフィのリビアが「部族国家」と呼ばれていた、ということを私は記憶しているのであるが、西ヨーロッパ諸国や東ヨーロッパ諸国やまた日本などにかんしては、ブルジョア国家によってブルジョア的に統合されるところのものが、部族と呼ばれるものであった、ということは、私にはちょっと考えられない。

また、種族といったばあいには、私は、原始共同体が崩壊するときに存在していた集団を思い浮かべるのである。黒田は、どのようなイメージを浮かべていたのであろうか。

エスニシティと規定されるところのものを種族とか部族とかとするのでは、歴史を相当さかのぼってしまうことになる、と私は感じるのである。

さらに、「一定の地域」がうけとる規定としては「それぞれの地理的・気候的な諸条件に決定された」ということが挙げられ、その地域に住む集団が共有するところのものの第一番目に「特定の人種」ということが提示されている。これにかんしても、これを読むと、私には、原始共同体が崩壊するときの物質的な事態がイメージとして浮かんでくるのである。

実際には、長い歴史的過程において、ユーラシア大陸のような地続きのところでは、一定の地域に住んでいた人びとを人種と呼ぶならば、その人種の人びとが住んでいた地域に他の人種の人びとが侵入してきて占領し支配し、両人種の人びとの混血がすすむ、ということをくりかえしてきたのである。侵入してきた人種の人びとが多く住みついたところでは、もともと住んでいた人びととの混血がすすみ、これとは異なって、侵入してきた人びとが、もともといた人びとを屈服させただけでほとんど住みつかずに次の地域の制圧に向かっていったところでは、混血がほとんどおこなわれずにもともと住んでいた人びとの人種がそのまま残された、ということになったのである。こうすることによって、人種と呼ばれるものは千差万別となったのであり、それらのそれぞれは、何々人というように、大括り・中括り・小括りにして呼ばれるようになったのである。一番大括りのものにかんしては、ゲルマン民族とかスラブ民族とかというように「民族」という呼称があたえられたり、何々語族というような分類がなされたりもしたのである。

このようなことがらにかんする研究は、人類学ないし文化人類学という学問領域に属する。

日本人と呼ばれるものにかんしては、遺伝子の研究からするならば、いくつかのルートで日本列島にたどりついた人びとが縄文人を形成し、この縄文人とそのあとに渡来した弥生人とが混血した人びとが今日の日本人となったということ、そしてこのときに弥生人とほとんど混血せず縄文人のままとなった人びとが沖縄に残されたのであり、アイヌ人はこれらとは別の系列に属する、ということが明らかにされている。言葉にかんしても、沖縄の方言には古い京言葉が伝わっていった形跡が見られるのであるが、アイヌ語は別系列に属する。これらのことを基礎にして、日本の天皇制ボナパルティズム国家が確立された時点から捉えかえすならば、本土に住んでいた人びととアイヌ人とは別のエスニシティをなす、といえるのであるが、前者と沖縄に住んでいた人びととを、別のエスニシティをなす、と規定するか否かは、エスニシティを区別する指標をどのようにとるのかということに規定される。両者は、混血からするつながりと言葉からするつながりの度合いは高いのであるが、文化的伝統の違いと薩摩藩による制圧および明治以来の日本政府の同化政策の実施によって虐げられてきた歴史にもとづいて、沖縄の人びとは、自分たちを「ウチナンチュー」、本土の人たちを「ヤマトンチュー」というように区別しているのである。

ユーラシア大陸においては他の人びとの集団による制圧と占領の歴史があったことを、黒田は確認してはいる。次のように、である。

「ボスニア・ヘルツェゴビナの内戦は、民族としては同じスラブ系の人びとがひきおこしているのですが、内戦の直接的動因は宗教上の対立にあります。（スラブ系セルビア人はセルビア正教を、スラブ系クロアチア人はカトリシズムを、それぞれ信仰し、彼らが、オスマン・トルコに支配されていた時代にイスラームに改宗したスラブ人たちを敵とみなしているのです。）このことは他方、クロアチアおよびスロベニアと呼称されてきた地域のスラブ民族が、オーストリア帝国のハプスブルク王朝の支配下に数世紀の間おかれてきただけではなく、第二次世界大戦のさなかではナチス・ドイツに協力した、という過去を背負っていることにも深く関係しているのです。」（前掲書、二八六頁）

黒田は、ボスニア・ヘルツェゴビナの内戦の分析を契機に問題意識をもって、『社会の弁証法』のこの部分に、エスニシティにかんする諸規定を書き加えたのであるにもかかわらず、エスニシティの一般的規定においては、ここで展開されているようなことが生かされていないのである。

宗教にかんしても、自然宗教をふくむ、ということがカギかっこを付して書かれているのであるが、一九九〇年代におけるエスニック集団の対立は、ここに言うような、セルビア正教とカトリシズムとイスラームの相互の対立が問題なのであって、自然宗教は問題とはならないのである。すなわち、宗教がアニミズムのような自然宗教と呼ばれるものであるかぎりでは、どの集団も同じようなものを共有しているのであり、それぞれのエスニック集団を特徴づけ区別するものとはならないのである。北欧や中欧の人たちは「森の精」といったものを信じているのであるが、もしもそれが独自的な意味をもっているのだとするならば、それはすでにキリスト教の契機となったものなのである。日本において人びとが「お天道様」や、悪いことをすれば罰が当たる「神さん」を信仰していた、ということにかんしても、それが日本人固有の意味をもったのは、明治政府が定めた国家神道の契機となったものであったからなのであり、それから解き放たれた第二次世界大戦後には、神道それ自体を信仰する人たちは少なくなり、宗教とは自覚しない「神さん」への信心のようなものが残ったのだ、といえよう。

黒田は、先の論述につづけて次のように書いている。

「第二次世界大戦において反ヒトラーのパルチザン闘争をたたかったヨシフ・チトー、彼の伝統をひきついでいるセルビア国家の旧スターリン主義官僚的権力者たちが、――スターリン主義国家の崩壊によって現出した経済的大破綻を基礎にして――反ナチズム・反カトリシズム・反イスラームの観点から、セルビア系スラブ人の「民族浄化（ネイションクレンジング）」政策を強引におしすすめていることのゆえに、ボスニア・ヘルツェゴビナ内戦は異常な様相を呈しているのです。この「民族浄化」政策も、スラブ民族の内部におけるエスノ・ナショナリズムの爆発の一つの根拠であるといえましょう。」（同前）

ここは、ユーゴスラビア・スターリン主義国家の崩壊によってセルビア資本制国家の権力者に成り上がった・かつてのスターリン主義官僚どもが、経済的大破綻をのりきり・みずからの支配を貫徹するために、反ナチズム・反カトリシズム・反イスラームのイデオロギーを旗印として排外主義をあおり、労働者・人民を国家として統合して、セルビア系スラブ人の「民族浄化」政策を強引におしすすめたのであり、このことを要因としてエスニック集団のあいだの血で血を洗う争いが生みだされたのである、「エスノ・ナショナリズムの爆発」というような把握は、結果的現象を直接的につかみとったものにすぎない、とすべきではないだろうか。

黒田の展開では、「スラブ民族の内部におけるエスノ・ナショナリズムの爆発」ということを、生みだされている事態にかんするわれわれの把握内容としたうえで、「この「民族浄化」政策も、」それの「一つの根拠である」というように説き起こす、というものになっている、と私は考えるのである。国家権力者となった・かつてのスターリン主義官僚どもが、労働者・人民を国家として統合してみずからの支配を貫徹するために、排外主義イデオロギーをあおり、「民族浄化」政策を実施しているのだ、ということがはっきりしていない、と私には感じられるのである。黒田の展開では、チトーが嵌《は》めていたスターリン主義国家のタガが外れたので、これまでは抑えられていたエスノ諸集団間の宗教的民族的対立が顕在化し抗争がはじまったのであり、これがエスノ・ナショナリズムの爆発だ、とするようなイメージが、私にはわいてくるのである。そうではなく、ブルジョア国家権力者に成り上がった・かつてのスターリン主義官僚どもの仕業ではないか、と私は思うのである。

「ウクライナもロシアもフランスも多民族国家である」

ウィキペディアからとったものであるが、次のような資料も検討すべきであろう。

これを見れば、一九九一年に成立したウクライナ資本主義国家もロシア資本主義国家も多民族国家であり、両者のそれぞれを構成する人びとは単一のエスニシティをなすのではない、ということがわかる。

ウクライナにかんしては、二〇〇一年の時点で、ウクライナ人は全人口の七七・八%を占め、ロシア人は一七・三%を占めた。少数民族としては、先住民族をなすクリミア・タタール人、それ以外に、モルドヴァ人、ブルガリア人、ハンガリー人、ルーマニア人、ユダヤ人、高麗人などが住んでいた。

ロシアには、一八二の民族が住み、二〇一〇年には、ロシア人が全人口の七七・七一%、タタール人が三・七二%、ウクライナ人が一・三五%を占めた。これ以外に、スラブ系ではベラルーシ人やポーランド人、チュルク系ではタタール人のほかにバシキール人やチュヴァシ人、コーカサス系のチェチェン人やイングーシ人、ウラル系のマリ人、モルドヴィン人などが住んでいた。

ブルジョア革命を典型的になしとげたフランスにかんしては次のことが記されている。

「フランスは欧州最大の多民族国家であり、西ヨーロッパにある本土では①ケルト人、②ラテン人、③ゲルマン系のフランク人　などの混成民族であるフランス人が大半を占める。基本的には、「ラテン化したケルト人を少数のゲルマン人が征服して成立した国」とみなすこと、つまり「もともとケルト人が住んでいた地域に、古代ローマ帝国が圧倒的な軍事力で攻め込んでローマ化を行い、その結果その地域にローマ文化に同化したケルト人が生じ、その土地にフランク人が攻め込んで力を持った国である」などといった大枠でとらえられることが多いが、諸説あり今も議論の的である。世界、特に欧州では混成民族でない国民はほとんど存在しないとはいえ、たとえばドイツ人がゲルマン人を、ロシア人がスラヴ人を主流としていることに異論は少ないのに対し、フランス人はそうした主流を挙げることが困難なほどに三つの流れが拮抗した比重を持つのが特徴である。また、本土でもブルターニュではケルト系のブルトン人、スペインとの国境付近にはバスク人、アルザスではドイツ系のアルザス人などの少数民族が存在する。また、コルシカ島もイタリア人に近い民族・コルシカ人が中心である。一方、西インド諸島やポリネシアの海外県や海外領土では非白人の市民が多い。」

「現行の憲法第二条によると、一九九二年からフランス語はフランスの唯一の公用語である。ただし、オック語、ピカルディ語などのいくつものロマンス語系の地域言語が存在するほか、ブルターニュではケルト系のブルトン語（ブレイス語）、アルザスではドイツ語の一方言であるアルザス語、北部フランドル・フランセーズではオランダ語類縁のフランス・フラマン語、コルシカではコルシカ語、海外県や海外領土ではクレオール諸語など七七の地域語が各地で話されている。近年まで、フランス政府と国家の教育システムはこれらの言語の使用を留めてきたが、現在はさまざまな度合いでいくつかの学校では教えられている。そのほか、移民によってポルトガル語、イタリア語、マグレブ・アラビア語、ベルベル諸語が話されている。」

われわれは、ブルジョア学者ないしブルジョア的論者がこのように把握しているところの物質的現実を措定し、その現実にかんするこれらの筆者の把握内容を批判的に検討することにふまえて、エスニシティの問題を考察していくのでなければならない。（一般には、フランスは「多民族国家」とはみなされない。もろもろのエスニシティが、フランスの国家権力者によって同化を強制され、国家のもとに国民として統合されたからである。）

二〇二二年一二月一九日

〔2〕 スターリン主義国家の構成部分から転化した資本制国家の権力者のナショナリズム

一九九〇年代にバルカン半島において勃発したもろもろの戦争や、今日のロシアのウクライナへの侵略を分析するばあいには、スターリン主義国家の構成部分から転化した資本制国家、その権力者に成り上がった・かつてのスターリン主義官僚のナショナリズムということを考える必要がある。

バルカン半島においては、ユーゴスラビア・スターリン主義国家の構成部分から資本制国家に転化したセルビア、その権力者であった・かつてのスターリン主義官僚ミロシェヴィッチが、これまでのユーゴスラビアのできるだけ多くの領土を確保することを狙って、イスラームを信じアルバニア系である人びとが多く住んでおり、セルビア正教を信じセルビア系の人びとも入り混じって暮らしているコソボ自治州を、自国の領土として獲得するために、自国の労働者・人民を排外主義的な宗教的・ナショナリズム的イデオロギーでもって固め国家として統合して、暴力的＝軍事的行動に動員した、ということが出発点をなすのである。

ユーゴスラビア・スターリン主義国家の構成部分から転化した他の諸国家の権力者は、自国の民族的および宗教的独自性をあらわすイデオロギーを、支配階級および被支配階級を構成する人びとに貫徹し国家として統合して、このセルビアに対抗したのである（モンテネグロはセルビアとともに新国家を形成）。ボスニア・ヘルツェゴビナでは、セルビア正教、イスラーム、そしてカトリシズムのそれぞれを信じる人びとが三つ巴の内戦をくりひろげたのである。

しかも米欧の帝国主義諸国は、ロシアに近い態度をとるセルビアの勢力拡張を阻止するために、その地にＮＡＴＯ軍をさし向け空爆をおこなったのである。

われわれは、一九九〇年代のバルカン半島における事態を分析するためには、このような事態の推移をおさえることが必要である。

文化人類学の観点からは「エスノ・ナショナリズムの爆発」と特徴づけられるところのものは、われわれの反スターリン主義の観点からは、スターリン主義国家の構成部分から転化した資本制国家、その権力者に成り上がった者どもが、労働者・人民を国家として統合するための排外主義的なナショナリズムの貫徹とそれによってもたらされた事態として分析するのでなければならない。

くりかえすならば、ユーゴスラビアの最大の勢力をなしたセルビア、その権力者は、自分たちがユーゴスラビアの全領土を引き継ぐのだという大セルビア主義のナショナリズムのイデオロギーを内外に貫徹したのであり、その他の諸勢力は、このセルビアの抑圧をはねのけ、みずからの国家をうちたてるのだ、という独自のナショナリズムのイデオロギーを内外に貫徹したのである。

今日のロシアのウクライナへの侵略にかんして、ロシアのプーチンが自国の労働者・人民に貫徹するロシアのナショナリズム、および、ウクライナの支配階級が自国の労働者・人民に貫徹するウクライナのナショナリズムを分析するばあいにも、同様である。

二〇二二年一二月二二日

〔3〕 ナショナリズムというイデオロギーの生産とその物質化

民族にかんして、黒田寛一『社会の弁証法』(こぶし書房)に、次の展開がある。

「民族とは、近代ブルジョア国家の形成と同時的に成立したところの、この国家の領土に住まう人びと(支配階級および被支配階級として規定されるいぜんの近代的市民のこと)が受けとる歴史的規定です。この近代ブルジョア国家のもとに包摂された一つまたは多くの民族は、この国家の「国民」という規定を受けとります。」（二八四頁）

この文章は、一九九四年刊の新版において、エスニシティについて書き加えられた部分の冒頭にある。だが、この丸カッコ内の「支配階級および被支配階級として規定されるいぜんの近代的市民のこと」というように言えるのであろうか。

近代ブルジョア国家を創造するブルジョアジーのイデオロギーたるナショナリズムとその物質化にかんして、これを、黒田寛一が本文で展開している国家論そのもののうちに位置づけることが必要なのではないだろうか。

本文で、黒田は次のように展開している。

「虚偽のイデオロギーがうみだされる社会的な背景は、特殊諸利害と共同利害との矛盾にあるのです。この矛盾をおしかくす必要性が、支配階級の特殊諸利害に「一般的な利害」という仮象をあたえるためのイデオロギーの生産となるのです。虚偽意識形態としてのイデオロギーは、したがって、支配するための道具であるとともに、階級闘争（生産場面における矛盾の社会的な形態）の思想上の表現に、すなわち思想闘争の産物にほかなりません。

しかも、支配階級は、おのれの階級的な諸利害を社会全体の利害として妥当させ通用させるために、国家をうちたてるのです。こうすることによって、幻想的な共同利害は、「一個の独立な容態」＝物質的形態をとるのです。それゆえに国家の本質は「幻想的な共同性」という点にあるといえます。いいかえれば、国家は「共同性の幻想的な形態」であって、支配階級の特殊諸利害としての「一般的な」利

害を物質的にうらづけるものにほかなりません。」(二七三頁)

ナショナリズムは、ここにいう虚偽のイデオロギーなのではないだろうか。

すなわち、支配階級たるブルジョアジーは、ナショナリズムという虚偽のイデオロギーを生産し、これを物質化することによって、近代ブルジョア国家をつくりだしたのであり、この近代ブルジョア国家の形成と同時的に成立したのが、民族なのであって、この国家をつくりだした支配階級たるブルジョアジーと彼らに支配されるプロレタリアートとをふくむこの全体が、ナショナリズムという虚偽のイデオロギーの貫徹によってこの国家のもとに国民＝民族として統合されたのではないだろうか。

黒田は、ブルジョアジーのイデオロギーについて次のように規定している。

「近代ヨーロッパにおける資本主義社会の形成と発展は、前近代的な政治的・身分的・宗教的な諸関係から解きはなたれた私的・孤立的な諸個人をうみだします。このことは、私的所有が私的所有として成立する資本制商品経済の必然的帰結なのです。こうした私利私欲を自己目的的に追求する私的個人(市民)の自立的で自律的な性格が、「自由・平等・友愛・ベンサム(功利主義)」というイデオロギーによってあらわされます。そしてこのようなブルジョア的個人の権利が「人権」とよばれます。」(同前、二九六頁)

ここにおいてブルジョアジーのイデオロギーが明確にあばきだされているのであり、この展開を基礎にして考えることが必要である。

ブルジョアジーのイデオロギーが「自由・平等・友愛・ベンサム(功利主義)」というイデオロギーであり、それはまた同時に、「人権」イデオロギーなのである。

このようなイデオロギーの典型的な歴史的実存形態は、一七八九年にブルジョア革命をなしとげ近代ブルジョア国家を樹立したフランスのブルジョアジーのイデオロギーであった。彼らは、内にむかっては、このイデオロギーを支配階級と被支配階級との両者に属するすべての人びとに貫徹し、これらの人びとを国家として統合したのであり、外にむかっては、このイデオロギーを世界的に普遍的なものとして、フランス国家として全世界に貫徹することをめざした（ナポレオンの遠征としてあらわれたそれ）のである。人権思想を世界的に普遍的なものとして全世界に貫徹することをフランス国家とこの国家のもとにある人びとの普遍的な任務とするイデオロギーが、フランスに独自的なものとして、フランスのナショナリズムをなすのである。フランスのブルジョアジーは、フランス国家として、フランスの地に住むすべての人びとに、このナショナリズムをイデオロギー的支柱として言葉や文化やまた生活習慣の面において支配的なものに同化することを強制したのであり、このようにして同化された人びとがフランス国民＝民族という規定をうけとることとなったのである。

民族と呼ばれるものにかんしては、これを、このように明らかにすべきである、と私は考える。

スターリンは、民族を次のように規定した。

「民族とは、言語の共通性、領土の共通性、経済生活の共通性、および文化の共通性のなかにあらわれている心理的性格の共通性をもとにして、歴史的に形成された人間の強固な共通体である。」（『社会の弁証法』二八一頁より重引）

これは、民族を歴史貫通的に存在するものとして把握した規定であり、社会学的把握に堕したものである。ここでは、民族と呼ばれるものは、ブルジョアジーがみずからのナショナリズムを人びとに貫徹し、国家として彼らに同化を強制した結果としてつくりだされたものなのだ、ということの把握が完全に欠如しているのである。

二〇二二年一二月二八日

〔4〕「もののあはれをしる」情感とは

黒田寛一『実践と場所　第一巻』（こぶし書房、二〇〇〇年刊）に次のように書かれている。

「どのような地帯の、どのような気候・風土のもとにおいてであれ、列島にすむヤポネシア人は約一万数千年も前の「縄紋＝蛇紋」期から日本人らしい生産的生活を営み、暮らし方（生活様式）と物の作り方（生産様式）を、そのために不可欠なコトバ（身振りから音声表現にいたるまで）をつくりだし、これにみあった文化とエスニシティをつくりだしてきた。義理がたく人情に厚く、黙々と励み我慢強く、しかも「もののあはれ」を情感することのできるような情緒をもつ、というような日本人らしさと呼ばれるものが形成されてきたといえる。」（四六三〜六四頁）

はたして、「もののあはれ」を情感することについて、このようにいえるのであろうか。

私は、幼少のころから秋が好きであった。遠くに見える森の色づいた木々を、美しいと感じると同時に、そこに、無と化すものの哀愁と無と化すことへの恐怖を感じた。「もののあわれ」という言葉を知ったとき、

「ああ、この感情だ」と感じ、「もののあわれ」という言葉にひかれた。革命のための活動をはじめてからは、荒々しく汗をたらたら流す夏のほうが好きになったが、秋にはしばしば同じようなものを感じた。

老齢になって、養護老人ホームの盛り付け・皿洗いの仕事に投げこまれたとき、この労働のただなかでは、強制されるこの労働への怒りと仲間の老齢のおばさんたちがやめるはめに追いこまれないように彼女らを守ることだけを感じ考えた。もののあわれを情感することはなかった。スーパーに行って、できるだけうまくて安いものを探しているときにも、もののあわれを感じることはなかった。ただ、あわただしい労働と生活のあいまに、ゆっくりと道を歩いているときに目にした木立や、吹き抜けていく風に、私はもののあわれを感じた。

この労働と生活に明け暮れているなかで黒田のこの著書を読み返したとき、このような私には、「もののあはれ」の感覚は日本人らしい情感である、などと思うことは、到底できなかった。それは、下層労働者である私には、日々の労働と生活からいっとき離れることができたときに感じることのできる感覚であった。

入所者にだす料理を、常食・刻み・超刻み・ミキサーというように形態別に分けて作り、あるいはまたお粥がべったりとこびりついたプラスチックのどんぶりを洗っているときには、労働のこの疎外への憤りがわきおこり、これは全世界のプロレタリアと共有しているものだ、と私は感じた。私は、日本人らしさとか、自分が日本人であるとか、と感じたことは一瞬たりともなかった。

これは、共産主義者である私が労働しているときに感じる感じ方なのであるが、あらゆる労働者は、労働の真っただなかでは「もののあはれ」という情感をもつことはない、ということでは私と同じなのではないだろうか。

われわれは、労働の疎外への怒りという・全世界のプロレタリアが共有するその感覚の普遍性をこそ自覚し考察しなければならず、「もののあはれ」という情感は、その労働からしばし離れることができたときに感じることがあるものとして分析しうるにすぎない、と私は考える。それは、プロレタリアにとっては、それほど大切な情緒ではない、と私は感じるのである。

あらかじめ「日本人らしさ」というようなものを設定してその形成過程を探る、というようなことは、全世界のプロレタリアートの自己解放を実現するという立場にたつかぎり、私には考えることができないのである。

今回、私は、「もののあはれ」という情感が歴史的にどのようにして形成されたのか、ということを知るために、少し調べてみた。

それは、国学者の本居宣長が『源氏物語』に見出したものだ、ということであった。彼は、『源氏物語』にある「もののあはれをしる」という一語に、儒教や仏教の伝来以前の日本古来の情感の本質がある、としたのであった。『源氏物語』は、下級貴族の女性が貴族の生活をえがいたものである。描かれているものは、彼らによって支配され収奪されていた隷属農民の生活とは無縁なものなのである。そのような物語のなかの一語をとりあげて、そう主張した本居宣長は、あらゆるものは天照大御神以来の神々が創造したものであり、時々の社会体制もすべて神が司っているのであって、すべての人びとはそれに従うべきである、と説いたのであった。そして、このような内容をなす国学を、明治政府は利用し、「現人神（あらひとがみ）」とした天皇と国家神道をイデオロギー的支柱として、労働者・農民を国家のもとに国民＝民族として統合したのであり、その後、天皇制ボナパルティズム国家は太平洋戦争へとつきすすんだのである。

したがって、「もののあはれ」という情感を日本人のもつ固有の情緒である、とする思想は、日本の支配階級が「一般的なもの」として社会全体に妥当させた日本主義という虚偽のイデオロギーの一契機をなすのである。日本の天皇制イデオロギーというこの全体から切り離して、「もののあはれ」という情感だけをとりだし、これを「日本人らしさ」をあらわすものとして歴史貫通的なものとみなすのは、日本の支配階級が被支配階級たる労働者・農民に貫徹した虚偽のイデオロギーにみずからからめとられるものなのである。

私は、こういうときにこういうものに、もののあはれを感じた、とエッセイ風に書くのならわかる。だが、それを「日本人らしさ」というように日本人固有の情緒とするのは、日本人はこのような豊かな情緒をもつのだ、というように、日本人の優越性をおしだすものとなるのである。

二〇二二年一二月三一日

〔5〕死んだ兵士が描かれない中国侵略と太平洋戦争のなかの一〇年

黒田寛一は、『実践と場所　第一巻』で日本の文化について論じるその冒頭に次のように書いている。

「さまざまの角度からいろいろの形で論じられてきた日本文化にかんする研究に一顧だにあたえる

ことなく、一九三五年からの約十年間の自己の体験的事実を拠にして、「常識人」の観点から、しかも生産場面に即して日本文化と思われるものを、次の五点にしぼって素描することが、ここでのテーマである。――水の文化、食の文化、木の文化を中心にし、緑や祈りの文化にも説きおよぶ。

春が夏と重なって訪れたり、秋の訪れが直ちに冬の入りを告げたりすることなく、四季がはっきりわかれている日本の風土。高温多湿の夏季と低温乾燥と空っ風の冬季。若葉が萌え花が咲き乱れ鳥がさえずり微風がただよう春季と、これにつづくうっとうしい五月雨または梅雨。照り輝く太陽と深緑色の野山と紺碧の海に歓喜する夏。」（四三七頁）

この時代はこんな牧歌的だったのだろうか。一九三五年から一九四五年までといえば、日本天皇制国家が、その軍隊が、中国に侵略し、アメリカのハワイの真珠湾を攻撃して連合国と戦争を開始し、東南アジアと太平洋諸島で激戦をくりひろげ、ついに沖縄での地上戦をやり、広島と長崎に原爆を投下され、無条件降伏した、という戦争の日々だったのである。

だが、自分自身が軍国主義教育をどのように受け、これにどのようにおかされ・あるいは・反発したのか、ということも、そして、自分よりも年上の若者たちがどのようにして兵士として駆り出され、これにどう感じたのかということも、また、村人たちが戦争の後方支援の行動をどのようにおこない、そのとき自分はどうだったのか、ということも、まったく出てこない。

このようなことにまったく触れない、というのでは、実際に生起した諸事態から身を切られるようなことがらを切り捨てたうえでのただ空虚な残りかすを描写することになる。人びとが必死で生きた現実には目をふさいでしまうことになる。「歓喜する夏」というのでは、一〇年間の暗い日々から、自分が楽しかった瞬間の体験だけを引っぱり出してきてつなぎ合わせ、それを歴史的過去にたおして、何万年も前から日本列島に住んでいたヤポネシア人の生活と文化とメンタリティという像を、ただ自分の頭のなかと著書の上でだけこしらえあげてしまうことになる。

死に追いやられた兵士たちとこの兵士たちへの自分の思いが語られない、太平洋戦争の一〇年間の自己の体験的事実を基礎とした日本文化の素描というものがありえていいのだろうか。その文化とは、軍国主義日本の文化であり、人びとを戦争に動員した文化だったのではないだろうか。

黒田は言う。

「「森羅萬象これみな財態」ではなくして、森羅萬象は生命《いのち》にみなぎっている、というように太古の昔からヤポネシア人は観念してきたのであった。「ことだま」といわれるように、「こと（事・言）」には、霊（「魂」）がひそみ宿っていると信じこんできたのであった。自然崇拝ともアニミズムともいわれるゆえんである。一神教のGod（神）ではなく、「やおよろずのかみ」が古来からの日本人にとっての「かみ」なのである。」（五二二頁）

一九三五年からの一〇年間の黒田の体験的事実における「やおよろずのかみ」とは、はたしてこのようなものだったのだろうか。この間にどのような教育を受けたのであろうか。

「やおよろずのかみ」とは、古事記にでてくるものである。天照大御神が「天の岩戸」に隠れて世界から光が失われたときに、その前に集まって相談した神々が「八百万の神」なのである。この神話は、「万歳」と叫んで、軍服を着た若い労働者と農民を死地におもむかせた国家統合のイデオロギーたる国家神道の、この天皇制イデオロギーの一つの機軸をなしたものなのである。私は、そのときにはまだ生まれてはいなかったけれども、「やおよろずのかみ」という語を、怒りと痛恨の念を抜きにして口にすることはできない。戦前のこの独自的意味を取り除いて、「やおよろずのかみ」を太古の昔にひきもどし、自然崇拝あるいはアニミズムというように、古来からの日本人のものとして、すなわち歴史貫通的なものとして描きあげるのは、天皇制国家の支配階級と軍部を免罪するものである。

二〇二三年一月一日

〔6〕 実存的危機においてほとばしり出たもの

黒田寛一は、『実践と場所　第一巻』で、「精神的風土」について次のように書いている。

「この地球の曲がった大地の種々の地域において、先史時代から永きにわたって、それぞれの地域の環境的自然との交互作用関係をつうじて、もろもろのエスニック集団は形成され成長し変化してきたのであり、まさにこのゆえに、エスニシティは、風土的特殊性をもその内在的契機としてもつことになったといえる。エスニシティの契機となった風土的なもの、これを精神的風土と呼ぶ。これは、ブルジョア国家に編みこまれた諸階級の民族性ないし国民性に共通にみられるところの、メンタリティの社会的傾向をさす。

たとえば日本人らしさの「らしさ」、アメリカ人のヤンキーらしさの「らしさ」（傍若無人としてもあらわれているフロンティア精神)、フランス人のフランス人「らしさ」(エスプリ)、イギリス人のイギリス人「らしさ」、(イギリス紳士)、ドイツ人のドイツ人「らしさ」(質実剛健)、ロシア人のロシア人「らしさ」(酷寒と専制への忍従と、アルコール依存症的人間性など)、中国人の中国人「らしさ」(いわゆる大陸的「ぬうぼう性」と稼ぐ気風など)などの「らしさ」。こうした「らしさ」を、すなわち、それぞれの地域の風土的特殊性にも規定されつつ成立するところの、階級社会において生き働いている人びとにみられるメンタリティの共通性や習慣・風俗・習俗の共通性を、対象的に規定した概念が、精神的風土であるといえる。この精神的風土は、これそれ自体がそれぞれの社会の地域的特殊性を帯びた「人―間」的諸関係の歴史的産物なのであって、歴史的社会的被制約性を刻印されながらも相対的に安定的な、人間的自然存在の自然的側面にかかわる概念なのである。

現代資本主義世界に投げこまれている社会的＝階級的存在としての人間、こうした人間存在の内なる自然(本性)として、もろもろの実践的経験をつうじて沈殿し、しかも無―意識化されているところのものとして、人たるものが実存的危機にさらされるような時にはそれとして意識されることなくほとばしり出るもの、――このようなものの対象的規定が、ここにいう精神的風土である。」(五五一～五二頁)

何か、ここは異様である。

最後のパラグラフの展開が気になる。

「現代資本主義世界に投げこまれている社会的＝階級的存在」というならば、われわれにとっては、それはプロレタリアである。プロレタリアであるこの私であり、このわれわれである。われわれは、完全に疎外された階級的存在たるプロレタリアであるのだから、それ以外にはありえない。ところが、ここではなぜか、「社会的＝階級的存在」というように抽象的に規定されている。あたかも人間の抽象的な社会的＝階級的な規定であるかのようである。

「投げこまれている」というのも奇妙である。これでは、われわれは、あたかも、その外側からこの現代資本主義世界に投げこまれたかのようである。プロレタリアであるわれわれは、この現代世界において生みだされたのである。

われわれにとっての人たるもの、それは、プロレタリアであるわれわれである。プロレタリアであるわれわれが実存的危機にさらされるような時にはそれとして意識されることなくほとばしり出るもの、それは、われわれがプロレタリアであるということそのものであり、この私のプロレタリア的実存そのものである。われわれが疎外された労働を強いられ、このことの直観を発条にして、階級闘争に決起し、実践の経験と理論の体得をつうじておのれのうちに培ってきたものそのものである。これ以外にはありえない。「もろもろの実践的経験をつうじて沈殿し、しかも無―意識化されているもの」とは、まさにこれであり、このおのれのプロレタリア的主体性である。プロレタリアであるこの私という「人間存在の内なる自然（本性）」とは、この私がおのれの疎外された労働の根底に、労働の本質形態をつかみとり、種属存在たる人間のこの自然的本質を実現することを意志する自己の内なるものそのものである。

だが、黒田は、自分が『ヘーゲルとマルクス』および『プロレタリア的人間の論理』以来あきらかにしてきた、このようなことを、ここで言いたいのではない。黒田は、別のことを考えているのである。ここでは、この「ほとばしり出るもの」は、「精神風土」と規定されているのであるからして、日本列島の環境的自然を風土として生きてきたものとしてのわれわれ、このようなわれわれが実存的危機にさらされた時にほとばしり出るものとは、「日本人らしさ」ということであり、日本人としての「精神的風土」というものなのである。これが、黒田がここで考えていることなのである。こういうことを考えるのはプロレタリア的実存の否定ではないだろうか。われわれが、おのれをプロレタリアとして自覚し、この自覚をつらぬく、ということの否定ではないだろうか。われわれは、実存的危機にさらされた時にこそ、おのれのプロレタリア的実存を、おのれのプロレタリア的主体性をつらぬくのだからである。ここには、自分が日本人である、というようなことが入りこむ余地は微塵もないからである。われわれは、存在そのものが、プロレタリアという世界史的に普遍的な存在なのだからである。

黒田寛一は、背骨が折れてしまったのではないだろうか。

無念である。

黒田は、自分を語っているのであろう。JR戦線の革マル派組織が、中央指導部から離反するのを食い止めるために、頼みの松崎明が決起してくれなかった、という事態に直面して、このおのれが実存的危機にさらされた時に、それとして意識されることなくほとばしり出たものが、自分自身の日本人としての自覚であった、このことを意識した、と黒田は語っているのであろう。

そして、自分自身の日本人としての自覚を、対象的には、「精神的風土」と規定したのであろう。松崎明という革命的プロレタリアを失い、そうすることによっておのれ自身のプロレタリア的自覚を失った黒田は、この時にほとばしり出た、日本人としての自覚を、時代を超えプロレタリア的階級性を超えておのれをつらぬいてきたものとして、「歴史的社会的被制約性を刻印されながらも相対的に安定的な、人間的自然存在の自然的側面」と規定して、自己をおちつかせたのであろう。

二〇二三年一月一日

〔7〕日本人の優越性の確認

黒田が、何々人「らしさ」というときの「らしさ」の中身は、きわめて類型化されたものであり、ステロタイプ化されたものである。

いまは「ステレオタイプ」と言うようであるが、昔は「ステロタイプ」といった。私には「ステロタイプ」のほうが親しみがある。

何々人「らしさ」というのは、黒田が「アメリカ人のヤンキーらしさの「らしさ」」として挙げる「傍若無人としてもあらわれているフロンティア精神」というようなものが、それである。私からすれば、これはいったい誰をさすのか、という感じである。「ロシア人のロシア人「らしさ」」にいたっては、「酷寒と専制への忍従と、アルコール依存症的人間性」などとされるのであるから、エリツィンを類型化したのかと思えるほどである。「専制への忍従」というのは、ツァー専制への忍従とスターリン主義官僚専制への忍従とを共通項でくくったものなのであろうか。この類型からは、ソビエトを結成してロシア革命を実現したロシアのプロレタリアートやレーニンやトロツキーは除外されることになる。黒田は、彼らを忘れ去ったのであろうか。それとも、ロシアのプロレタリアートやレーニンやトロツキーをもふくめて、ロシア人「らしさ」をこのように言っているのであろうか。

日本人にかんしては、「日本人らしさ」とは、「義理がたく人情に厚く、黙々と励み我慢強く、しかも「もののあはれ」を情感することのできるような情緒をもつ」ものとされていたのであった。日本人は、きわめて豊かな情緒と情感と人間性をもつ人びとだ。私などは赤面せざるをえない。いや、消え入りたくなる。このことからすれば、日本人は他の何々人よりも優秀であり、優越性をもつ、ということになる。しかも日本人は、「約一万数千年も前」から「列島に住むヤポネシア人」として「日本人らしい」「文化とエスニシティをつくりだしてきた」、ということなのである。この「日本人らしさ」が、さきのことだ、ということなのである。（四六三〜六四頁）このことからすれば、日本人は、ヤポネシア人として、歴史貫通的な存在だ、ということになる。

だが、このような何々人「らしさ」という諸類型の特徴づけは、日本の支配階級とそれに連なる知識人がつくりだした虚偽のイデオロギーなのではないだろうか。

しかも、「エスニシティの契機となった風土的なもの、これを精神的風土と呼ぶ。これは、ブルジョア国家に編みこまれた諸階級の民族性ないし国民性に共通にみられるところの、メンタリティの社会的傾向をさす」（五五二頁）、とされているのである。

「らしさ」としてあらわれる「精神的風土」は、諸階級に共通にみられる「民族性ないし国民性」として、風土の上にのっかっているものとされているのである。

ここで私は、黒田の言う「諸階級の民族性ないし国民性に共通にみられるところの」ものを、「諸階級に共通にみられる「民族性ないし国民性」」というように言い換えたのであるが、元の表現は、ブルジョアジーも民族性ないし国民性をもっていると同時にプロレタリアートも民族性ないし国民性をもっており、両者の民族性ないし国民性に共通にみられるものという意味なのであろうか。このように考えるならば、プロレタリアートの民族性ないし国民性ということは成立しない。プロレタリアートは世界史的に普遍的な存在なのだからである。支配階級たるブルジョアジーがみずからの特殊諸利害を「一般的なもの」として妥当させ、この幻想的なものとしての「共同利害」を物質化し国家を創造することによって、この国家のもとに統合されたプロレタリアートは他の諸階級の人びととともに、民族ないし国民という規定をうけとるのである。私がやったように言い換えたとしても、日本語としての意味がわかりやすくなるだけであって、それが誤謬であることには変わりがない。いずれにしても、それは、プロレタリアートの階級性を超えるものとして「民族性ないし国民性」を捉えるものだからである。

また、「エスニシティの契機となった風土的なもの、これを精神的風土と呼ぶ」、というのも意味不明である。精神というかぎりは、この精神を生産する実体が問題となるのである。精神を精神的生産として、精神の生産として問題にするのでないかぎり、何の意味もない。一定の環境的諸条件のもとで生活する人びとは、その環境的諸条件に規定されるのであり、この人びとをエスニシティと呼ぶならば、エスニシティは風土的なものをみずからの契機とするのである。いくら風土的なものがエスニシティの契機となると言ったとしても、そのように言うだけでは、それは単に風土的なものという規定にとどまるのである。精神を生産する人間を措定するのでなければ、したがって、階級社会について論じるのであれば、精神を生産する階級的人間を措定するのでなければ、精神の生産について論じることはできないのであり、精神的風土という規定は成立しないのである。黒田は、精神を生産する実体を問題にするならば、虚偽のイデオロギーを生産し、これを物質化する支配階級と、この階級に支配される被支配階級とを措定して論じなければならなくなることからして、これを回避するために、精神を生産するというように問題を立てることを放擲したのである。このように諸実体を抜き去ったうえで、重箱のように、風土という箱の上に、精神的風土という箱を積み上げる、という図式を、黒田はこしらえあげたのである。このような図式をこしらえるかぎり、プロレタリアであるわれわれは、おのれの実存的危機に直面した時には、みずからのプロレタリア的実存を貫徹してこの危機に立ち向かう、というのではなく、日本人らしさを精神的風土とする日本人であるわれわれは、おのれの実存的危機に直面した時には、日本人としてこの危機に立ち向かえばよい、ということになるのである。

二〇二三年一月二日

〔8〕若き自己の全否定、すなわち疎外論の放擲と歴史主義

黒田寛一は言った。

「こうした「らしさ」を、すなわち、それぞれの地域の風土的特殊性にも規定されつつ成立するところの、階級社会において生き働いている人びとにみられるメンタリティの共通性や習慣・風俗・習俗

の共通性を、対象的に規定した概念が、精神的風土であるといえる。この精神的風土は、これそれ自体がそれぞれの社会の地域的特殊性を帯びた「人―間」的諸関係の歴史的産物なのであって、歴史的社会的被制約性を刻印されながらも相対的に安定的な、人間的自然存在の自然的側面にかかわる概念なのである。」（『実践と場所　第一巻』五五二頁）

黒田は、この言葉を発したことにおいて、若きマルクスの「疎外された労働」論の研究をとおしてみずからのうちにつくりあげてきた立脚点を、すなわちみずからの疎外論と場所的立場を捨て去った。歴史主義に転落した。

黒田は言っていた。「マルクスの「疎外された労働」論は、私の実存そのものである」、と。『実践と場所』を書いた黒田は、おのれのこの実存そのものを捨て去ったのである。

若き黒田にとっては、この私とはプロレタリアであった。場所的現在に生きるプロレタリアであるこの私が、つねに彼の出発点であった。プロレタリアであるこの私は、おのれの労働を疎外された労働として自覚し、この疎外された労働の根底に労働の本質形態をつかみとり、これをおのれ自身の種属本質としてこれの実現を決断したのである。若き黒田にとって、人間とは、プロレタリアであるおのれの根底につかみとったところの種属存在としての人間なのであり、この種属存在としての人間が人間歴史の出発点をなす、というように、彼は明らかにしたのであった。

いまや、黒田はこのおのれ自身を破壊したのである。若き自己を全否定したのである。

『実践と場所』の黒田は、プロレタリアであるこの私を出発点とすることを回避した。この著書の黒田は、「太古の昔（約数十万年前）からこの日本列島に居住し働き生きつづけてきたヤポネシア人」（五五五頁）

をおのれの出発点とした。このようにするならば、プロレタリアであるこのおのれを、「先史時代から永きにわた」る（五五一頁）永い永い歴史的過程に埋没させることができるのである。そして太古の昔から現在までを鳥瞰した「日本民族」（五五五頁）の高みにたって、「利潤追求を自己目的化したり投機にうつつをぬかしたりしている徒輩も、労働力商品としての自己存在についての自覚をもってはいない賃労働者も、階級の違いをこえて、日本人らしさを喪失しているのではないか」（五五四頁）、と嘆くことができるのである。これを書いた黒田は、すでに階級の違いをこえる立場にたっているのであり、この彼にとっては、賃労働者が労働力商品としての自覚をもっていないことよりも、資本家も賃労働者もが日本人らしさを喪失していることのほうが、重要なのである。

この黒田は、「階級社会において生き働いている人びと」の「精神的風土」というように、これらの人びとの精神を問題としてとりあげながらも、この精神をみずからのうちにつくりだす階級そのものを、階級的人間そのものを措定しない。

「精神的風土」を「それぞれの社会の地域的特殊性を帯びた「人―間」的諸関係の歴史的産物なのであって、歴史的社会的被制約性を刻印されながらも相対的に安定的な、人間的自然存在の自然的側面」と規定するかぎり、この規定は完全に超歴史化されており、「精神的風土」は歴史貫通的なものとみなされている。一見すると「歴史的社会的被制約性」というかたちで階級的規定性が問題にされているかのようなのであるが、実はそれは、階級がでてこないところの「「人―間」的諸関係」の、「地域的特殊性を帯びた」「歴史的産物」ということなのであって、結局のところ「地域的特殊性」に還元されたものなのである。しかも、その「精神的風土」は、「相対的に安定的な」ものというかたちで、あらゆる社会形態に共通なものとみなされているのであり、さらには、「人間的自然存在の自然的側面」というように、それは、人間社会からその社会的側面を捨象してつかみとられるところのその自然的側面として、人間種属の共同体と外的自然との技術的関係の規定として、あるいは、それから社会性をも捨象してつかみとられるところの「全＝個」をなす人間と自然との技術的関係の規定として、概念的に規定されたのである。ここにおいて明確に、現代社会におけるブルジョアジーとプロレタリアートとの階級的対立は抹殺されたのであり、この私はプロレタリアである、というおのれのプロレタリア的実存は破壊されたのであり、この私は日本人となったのである。

このように論述をみちびいていく黒田の手法は、「太古の昔から日本列島に住みついたヤポネシア人は」というところから説き起こしていくことである。このようにするならば、「太古の昔」なのだから、社会形態としては原始共同体を、すなわち原始共産制を想定することができる。そして「日本列島に住みついた」ということなのだから、地理的限定をもうけることができる、すなわち、日本列島という地域的特殊性のもとにあった原始共同体を想定することができる。さらに「ヤポネシア人」なのだから、今日のブルジョア社会において日本民族という規定をうけとっている人びとないし人種を想定することができるのである。ようするに、今日のブルジョア国家・日本において日本民族と規定されるところのものを遠い過去にたおして、今日の日本の人びとにその血が引き継がれる人びとが現存在した、というようにあらかじめ設定し、自分があらかじめ設定したところのものから、黒田は説き起こすのである。このばあいに、設定した太古の人びととの社会は、階級のない社会であることを、黒田は前提とするのであるが、その社会形態は何であるのか、ということを規定しない。その社会形態は、無階級社会であるとか、原始共同体であるとかとは規定しないのである。そして、いつの間にか階級社会について論じていくこととするのである。このような論じ方をするのは、もしも太古の人びとの社会が原始共同体をなす、というように規定するならば、この共同社会が階級社会に転換することを、すなわち階級が生みだされることを論じなければならなくなるからである。すなわち、階級社会について論じるばあいに、この社会における支配階級と被支配階級との対立を明らかにしてこの対立を論述するのではなく、諸階級に共通するものとして民族性ないし国民性というものを理論的に設定するためには、黒田は、太古の昔からの地域的特殊性を刻印されたところの社会の連続的発展という像を描く以外になかった、ということなのである。

だが、これは、自分自身が探究し叙述してきたところの『ヘーゲルとマルクス』の、『社会観の探求』の、そして『プロレタリア的人間の論理』の破壊なのである。このように探究してきた主体たるおのれそのものの破壊なのである。

二〇二三年一月三日

〔9〕　歴史貫通的な人種の設定

『実践と場所　第一巻』における黒田寛一の次のような見解は、人類学的にみて明らかに間違いである。

「太古の昔（約数十万年前）からこの日本列島に居住し働き生きつづけてきたヤポネシア人が、約一

千七百年にわたる社会形態の歴史的変遷をつうじて、日本民族として形成されたのである。」（五五五頁）

「弥生土器文化を主導的に開いた渡来人である寒帯順応型モンゴロイドと、それ以前に既に日本列島に広く分布していた古モンゴロイド＝ヤポネシア族（つまり「縄紋人」）とが、雑婚することによってうみだされたのが、種族としてのニホン人であると言えるであろう。

ところで、約三十万年前から生活していたと推定される古モンゴロイドとしてのヤポネシア族は、どこから渡来したのであろうか。おそらく数十万年前に、古モンゴロイドが北方ルート（シベリア―樺太―北海道―東北）や朝鮮半島ルートからヤポネシア列島に、また約一万年前の第四氷河期以降には、東南アジアの南方系モンゴロイドがヤポネシアに移住してきたともいえる。この意味では、「弥生人」だけが渡来人であるわけではない。

ニホン人が、人種的にはモンゴロイド（いわゆる南方系モンゴロイドであるヤポネシア族）としての「縄紋人」と、寒帯順応型モンゴロイド（いわゆる北方系モンゴロイド）としての「弥生人」との混血からなるのだとしても、モンゴロイドという人種の成立の時期は、何時なのか。今から約十四万五千年（プラス・マイナス一千八百年）前であることが、チンパン人とネグロイド（黒色人種）とモンゴロイド＝ニホン人とコーカソイド（白色人種）の四種類のミトコンドリアの遺伝子を分析することによって、ほぼ確定されたのだそうである。」（五五六〜五七頁）

種々の細かい間違いや辻褄が合わないことがらを度外視するとして、もしもこの展開が黒田の頭のなかで整合性がついていたのだとするならば、黒田は、日本列島には約三十万年前から古モンゴロイドが生活しており、モンゴロイドという人種は、今から約十四万五千年前に成立した、と把握していた、ということになる。

そうすると、この「古モンゴロイド」とはいったいどのような人類種なのか、ということが問題となるのである。

もしも約三十万年前に日本列島に人類が住んでいたのだとするならば、それは、現代の日本人とは血のつながりがない原人なのである。それは、北京原人とかジャワ原人とかというたぐいの原人なのである。それは、モンゴロイド、コーカソイド、ネグロイドというように一応は分けることができるホモ・サピエンスではないのである。

他面から言えば、日本列島に住んでいた原人から日本のホモ・サピエンスが生みだされ、ヨーロッパに住んでいた原人からヨーロッパのホモ・サピエンスが生みだされた、というわけではないのである。

約二十万年前なり約十四万五千年前なりにアフリカでホモ・サピエンス（現生人類）が誕生し、これがいろいろと小さな枝分かれをしたのちに、その一部がアフリカを出て（第二の出アフリカ）西と東に向かったのである。西に向かった部分がコーカソイドと呼ばれるものとなったのであり、東に向かった部分がモンゴロイドと呼ばれるものとなったのである。

「古モンゴロイド」と名づけられるべきような人類種は存在しないのである。

このように考えてくるならば、黒田は、人類学上の誤謬を犯してまでも、日本列島に約三十万年前から住んでいた人類を想定し、それから今日の日本人への血のつながりを説いたのはなぜなのか、ということが問題となってしまうのである。黒田が、今日の日本のブルジョア国家の領土である日本列島という地理的範囲をあらかじめ設定し、そこに住んでいる人びとを「日本民族」＝「ニホン人」と呼び、その祖先を「ヤポネシア族」として約三十万年前の太古の昔にまで探し求めたのはなぜなのか、ということが問題となってしまうのである。

ＤＮＡにかんする研究がすすんでいる今日では、人種の違いということはほぼ意味がない、個人間の違いのほうが大きい、とされる。黒田がこの『第一巻』を書いた一九九〇年代半ばでも、ミトコンドリアの研究がすすんでおり、人種という概念は便宜上のものとされていた。それにもかかわらず、黒田は「人種」の違いとその起源を執拗に探究し、「種族」という概念を駆使したのであり、「古モンゴロイド」起源説という間違った見解を提唱したのである。これはなぜなのか。

黒田は、自己の内面からプロレタリア的実存を追い出し、日本人としての自覚を棲みつかせたのだ、と私は言わざるをえない。

二〇二三年一月一二日

〔10〕 蘇った幼少の時の教育で培われた情感

高知聰は言った。

「戦前の子どもはみんな軍国少年だった」、と。

黒田寛一は言った。

「私はそうではなかった。父親から、日本は必ずアメリカに負ける、と聞かされていて無思想だった。私は敗戦を自然現象のように受けとった」、と。

だが、はたして、学校で軍国主義教育を受けた幼少の黒田は、軍国少年ではなかった、と言えるのだろうか。

『実践と場所　第一巻』で黒田は次のように回想している。

「もしも祈ることによって運が開かれるとするならば、夥しい戦死者も戦災者もでないはずではないか。戦争をはじめたうえで「武運長久」などと祈ってみてもはじまらない。なぜ戦争をしたのか。「八紘一宇」のために、「大東亜共栄圏」のために、「あらひとがみ天皇」のために、ということを、小学生時代から教えこまれてきたのであるが、子供には何のことやら、さっぱりわからなかった。

「戦意高揚」と称して、出征軍人の歓送のために、町の小学校の約一千名の全校生徒が動員されもした。大国魂神社で神主が「お祓い」をして、「穢《けがれ》」を清め、「祝詞《のりと》」をあげ、柏手をうつ、というような儀式の後に、高等小学生十名ほどからなる大太鼓・小太鼓・竹笛などの鼓笛隊が奏でるところの、「天にかわりて不義を撃つ、忠勇無双のわが兵は……」のリズムにのって行進する出征兵士を、道の両側に並んだ小学生が見送る。

他方、「武運つたなく」戦死をとげた戦没兵士を迎えるさいにも、小学生が動員された。このばあいの行進は、厳かに静々と哀悼の念をもっておこなわれた。欅の葉がかすかに揺れる静けさのなかを、ショパンの葬送行進曲がもの悲しげに響きわたるにすぎないしめやかさであった。――「武運長久」

を祈っても、戦死者や戦病死者は次々にでる。むしろ「戦死」ということをまだ何も分からない子供たちに教えこむために、生徒たちを葬送にも動員したのであろう。なんとなく厳粛な気持が子供たちに湧きあがるようにするためであったのであろう。軍隊はなぜあるのか、ということもまったく分からずに、「南京陥落」「保定陥落」の提燈行列に、眠たいのを我慢しながら小学生は動員されもした。……人生の運不運ではなく、「武運長久」とか「武運つたなく」とかということが、小学生の頭にたたきこまれたのであった。

「店子《たなこ》が大家と喧嘩すれば、店子が負けるに決まっている。日本は必ずアメリカに負ける。……」という父親の口癖が非国民的言辞であるということについて分からないままに、落語によく出てくる「大家と店子」についての民衆の智慧のようなものが、小学生であった私の大脳新皮質に刷りこまれてしまった。こんにち風にいえば、父親の言葉は「サブリミナル効果」として五十年後にも働いているというわけなのである。

こうして大東亜戦争の敗北を「自然現象のように」私は受けとったのである。」（二〇二～二〇三頁）

この文章を書いていた老齢の黒田の脳裏には、父親の言葉だけではなく、大太鼓・小太鼓・竹笛などの鼓笛隊が奏でるリズムと、ショパンの葬送行進曲のもの悲しげな響きが、小学生であった自分のその時の気持ちと情感そのままに、鮮やかによみがえっていたのではないだろうか。

何十年も経て鮮やかによみがえるほどに、小学生であった黒田に、感情と情緒を揺さぶる当時の軍国主義教育が、たたきこまれ刷りこまれたのではないだろうか。

中国への侵略と第二次世界大戦を大東亜戦争として、その敗北を自然現象のように受けとったことをそのままにしておいたのでは、教師たちや軍人教官から幼少の自分にたたきこまれ刷りこまれたものをその根底からくつがえす発条がでてこないのではないだろうか。戦時中に自分が受けた教育とその教育を受けた自分自身を省みて、鼓笛隊の奏でるリズムとショパンのもの悲しげな響きが、軍人教官や教師への怒りと自己への嫌悪をもって、身を切られる痛恨の思いとともに、自分の内面の耳によみがえり響きわたる、というのでなければならないのではないだろうか。こういうようなかたちで、小学生の時のおのれからの断絶をかちとることが必要なのではないだろうか。

二〇二三年一月一三日

二　晩年の黒田寛一はどうなってしまったのか

〈1〉これは『社会観の探求』の否定ではないだろうか

黒田寛一は『実践と場所　第一巻』の「社会の構成」という節の最初のほうで次のように論じている。

「いうまでもなく、社会的自然は、これに先行する自然史の自己発展の歴史的に必然的な産物であるとともに、それに先行する自然史の全過程をみずからの内に包みこんでいる。場所的現在において包みこまれている自然史的過程が「社会における自然」とも呼ばれ、社会的自然の自然的側面をなすのである。このようなものとしてそれは、社会的＝人間的存在にとっての環境を、つまり環境的自然をなすのである。このように自然をみずからの環境とする社会的自然という特殊的自然の根源的形態が《人間種属生活》にほかならず、そしてこの《種属生活》それ自身が社会的環境を構成するのである。この社会的環境と環境的自然との交互関係において運動することが、社会的物質過程の特殊性をなすのであって、この意味において社会的自然は《生産的生活世界》と規定される。環境的自然（「社会のなかの自然」）と社会的環境（社会的自然）とが、相互に決定し決定されつつ自己発展するのが《生産的生活世界》にほかならず、この世界の歴史的独自性ないし個別性は支配的生産様式によってあらわされる。

基本的には、社会的な、したがって支配的な生産様式が、特殊的な社会的自然の歴史的独自性を決定するのであるが、具体的には、社会的自然としての経済的社会構成は、特定地域の環境的自然の気候的・風土的な性質（いわゆる土地柄、気候の違いや地形の起伏や土壌の肥沃度や水の多少などの、直接的に人間生活に作用する諸要因をさす）の特殊性に決定された生産＝生活様式にもとづいて形成される。それぞれの地域の自然地理的諸条件に制約されつつ創出される生産＝生活様式は、根源的には人間生活の生産の地域的特殊性をあらわすのであって、環境的自然への社会的人間存在の協同的働きかけが、彼らの生活様式の気候的・風土的特殊性を、したがって生産的および「人―間」的実践の個別性を直接間接に制約する。行為基準・規則・規範・慣習・風俗・言語規範が、したがって《文化》と呼称されるところのものの特殊性がうみだされるのである。

自然史的過程の特殊的発展段階をなす社会史的過程、その原理が《人間生活の生産》であって、この《生活の生産》においてわれわれが生き協働し共苦する場所の本質は、この《生活の生産》にある。われわれであるところのわれが、われであるところのわれわれが、そこにおいて生き死にゆく場所とは、現実にはつねにこの社会的場所なのであり、しかも同時に支配的生産様式に決定された特殊的歴史性を刻印された社会的場所なのである。このような場所は、環境的自然（人間化され社会的反作用をこうむった自然、いわゆる「社会のなかの自然」、あるいは生産＝生活様式の特殊性とこれにもとづいて創りだされた特定の文化の反作用をうけた風土的自然）と、これに働きかける「人─間」的関係としての社会的環境とを、基本的な構成契機とするのである。場所のこの社会性を人間存在の側から規定するならば、これは、人間の──言語的および非言語的表現を介しての──交わり行為としての実践と、環境的自然への協同的働きかけとしての生産的＝技術的実践とからなるのである。」（四〇四～四〇六頁）

この展開の後に、「共同体的人間存在」とか「《社会的生産関係》」とか「生産力」とか「いわゆる「生産諸力と生産諸関係の弁証法」」とかという規定がでてくるのである。ここにおいて、ようやくにして、黒田から学んだわれわれにとっては親しみのある展開になるのである。

全体としてみるならば、黒田は、自分が若い時に論述した『社会観の探求』の展開の前に、ここに引用した三つのパラグラフをつっこんだ、ということである。あるいは、『社会観の探求』における人間社会の本質にかんする論述のなかに「特定地域の環境的自然の気候的・風土的な性質」という規定をおりまぜた、ということである。

黒田がこのような論述をおこなったということの意味は大きい。とりわけ二番目のパラフラフである。ここでふれられている「気候の違いや地形の起伏や土地の肥沃度や水の多少など」は自然力にかかわるものであり、このようなことがらについて論じるときには、生産諸力にかんする規定が明らかにされなければならないのである。

また、「経済的社会構成」にかんして論じるときには、社会的生産関係にかんする規定が、したがって同時に、生産諸力と生産諸関係の弁証法が明らかにされなければならないのである。

さらに、「《文化》と呼称されるところのもの」について論じるときには、経済的土台と上部構造にかんする規定が明らかにされなければならないのである。

私がいま挙げたような史的唯物論の基本的な諸規定を明らかにするまえに、「《文化》と呼称されるところのもの」について黒田が論じたということは、彼が、「《文化》と呼称されるところのもの」を超歴史的なもの＝歴史貫通的なものとして、あるいはあらゆる社会に共通なものとして、描いた、ということを意味するのである。いや、黒田は、「《文化》と呼称されるところのもの」をこのようなものとして描くためにこそ、このような論理展開をおこなった、論理的構成をとったのだ、といわなければならない。《文化》と呼称されるところのものを、支配階級がみずからの特殊的諸利害を一般的なものと妥当させるということ、すなわち支配階級が虚偽のイデオロギーを生産するということとは無関係に論じることを、黒田は意図した、といえるのだからである。

このことについては、後でたちもどる。

引用した部分にかんしてさらに言えば、第一パラグラフでは、「この社会的環境と環境的自然との交互関係」というように、「共同体的人間存在」とすべきところが「社会的環境」という規定にとって換えられているのである。この「共同体的人間存在」という規定もまた、私が引用した三つのパラグラフの後にでてくるのである。また、「《人間種属存在》」という規定をぬきにして「《人間種属生活》」という規定があたえられているのであり、前者の規定もまた、後ででてくるのである。

第三パラグラフでは、「《人間生活の生産》」という規定が明らかにされているのであるが、生活＝生産諸手段の生産と人間の生産とがその人間生活の生産の二契機をなす、ということは論じられていないのである。人間の生産について論じないままに、「人間の——言語的および非言語的表現を介しての——交わり行為としての実践」ということが論じられているのである。経済的土台と上部構造にかんする規定をぬきにして「生産＝生活様式の特殊性とこれにもとづいて創りだされた特定の文化の反作用をうけた風土的自然」ということが論じられている、ということについては、先にのべたことと同じである。ここでの黒田のように論じるのでは、「生産＝生活様式」という規定も、「文化」という規定も、社会学的なものとなっているのである。

ここで、《文化》と呼称されるところのものについての規定にたちもどる。

文化については、次のようなことがらが論じられている。

「西暦紀元前五、六千年にインダス川や長江・黄河の河口付近において栄えた文化が、なぜ衰亡したのか。紀元前五、六世紀にすでに形づくられていたバラモン教・ヒンズー教・仏教など」が、「原始古代＝大和王朝時代に輸入され、鎌倉・戦国時代をつうじて、こうした渡来思想は広く悩める民衆に伝播して民衆の生活の智慧ともなった。」（五八五〜五八六頁）

「紀元前五、六千年のナイル川とチグリス・ユーフラテス川の河岸にひらけたエジプト文化やメソポタミア文化が衰退し、また奴隷制がギリシアの都市国家に栄え、そして近代ヨーロッパ技術文明の源となった学問・文化がその発祥の地においては滅亡し、インド・中国と西域（ペルシア―ギリシア）との交点をなしていたパキスタン北部地域において繁栄したガンダーラ文化もまた、文化遺産を残して滅び去った。中部アメリカのユカタン半島あたりに紀元前三世紀以降に栄えたマヤ文化なども また、同じような運命をたどった。」（五八六頁）

《文化》と呼称されるところのものにかんして、このようなものを念頭におくのであるかぎり、支配階級と被支配階級との対立を、そして支配階級が虚偽のイデオロギーを生産するということを考察することをぬきにして、そのようなものを分析し明らかにすることができないのである。

黒田のこの論述は社会学的なものとなっている。

「原始古代＝大和朝廷時代」と表現したのでは、原始共同体＝原始共産制をなす縄文時代と、階級社会をなす大和朝廷時代とを、意図的に連続的につなげ混然一体とさせているかのようである。

二〇二三年一月一八日

〔2〕 これは、日本人であることの、根源的な物質からの存在論的基礎づけではないだろうか

晩年の黒田寛一は、あくまでも、場所の存在論的基礎づけに邁進していたのであろうか。彼は、場所の存在論的基礎づけに徹したのであろうか。

黒田が「環境的自然（＝社会のなかの自然）と社会的環境（社会的自然）とが、相互に決定し決定されつつ自己発展する」（『実践と場所　第一巻』四〇五頁）というように論じたのが、私には解せない。ここに駆使されている論理は、これまでの黒田の論理と異なる、というように私には思えるからである。

「場所的現在において包みこまれている自然史的過程が」「社会的自然の自然的側面をなすのであ」り、「社会的＝人間的存在にとっての環境を、つまり環境的自然をなすのである」（四〇四頁）、という展開につらぬかれているのは、黒田の論理そのものである。この論述では、社会的＝人間的存在を主体と措いて、この主体にとっての客体を環境的自然と規定しているわけである。すなわち、このような角度から論じるばあいには、場所の客体面をなす環境的自然、これに対立するその主体面は、社会的＝人間的存在というように、したがって共同体的人間存在・あるいは・種属存在としての人間の共同体というように規定されなければならない。

ところが、ここでの論述では、黒田は、社会的＝人間的存在・あるいは・共同体的人間存在と規定すべきところを、「社会的環境」と規定しているのである。もしも共同体的人間存在を社会的環境と規定するのであるならば、環境的自然と規定されているところのものをなす、場所的現在に包みこまれている自然史的過程を、場所の主体面とし、これに対立する共同体的人間存在を、この主体面にとっての環境として、すなわち場所の客体面として論じるのでなければならない。このように論述すれば、それは、場所の、場所に内在化されてある自然史的過程からする存在論的把握をなす。このように論じるためには、共同体的人間存在を主体とする・場所の存在論的把握という論述から、場所に内在化されてある自然史的過程からする・場所の存在論的把握ということへと、論じる角度をかえなければならない。

それにもかかわらず、黒田は、対をなす二つの句に於いて、「環境的自然」と論じるときには共同体的人間存在を主体と措いたかと思えば、次の瞬間には、場所的現在に包みこまれている自然史的過程の側を主体と措いて、共同体的人間存在の側をその主体の環境として・すなわち・その主体にとっての客体として、「社会的環境」と規定しているのである。これほどまでに、場所的現在に包みこまれている自然史的過程という根源的なものから存在論的に説き起こし、場所を存在論的に基礎づける、という意志が、晩年の黒田には強いのか、と思われるのである。

これは、『ヘーゲルとマルクス』における次のような展開の、場所の存在論というかたちでの貫徹なのであろうか。

「その最高発展段階である社会史的過程において、物質は自己の他者たる人間的自然を媒介として自己の「本質」を、自己の普遍性を、自覚する、逆に人間的自然は自己の「本質」を物質とするとい

うことを明らかにした。」（八四頁）

あくまでも、根源的な物質を主体として、しかも『実践と場所』においては、場所的現在に包みこまれている根源的な物質を主体として、場所にかんして存在論的に論述する、ということなのだ、と思われるのである。

あるいは、西田哲学の論者のなかでもっとも唯物論に近づいたといわれる木村素衛、彼の『表現愛』における展開のしかたを引き合いに出したほうがわかりやすいかもしれない。

それは次のようなものである。木は、仏師の実践をとおして、みずからに内在する本質を仏像として構成し顕現させる、と。

晩年の黒田は、あくまでも、このような根源的な存在論を書いていたのだ、と私には思えてきたのである。

このように考えるならば、黒田が「この精神的風土は、……人間的自然存在の自然的側面にかかわる概念なのである」（五五二頁）と論述していたことの私の理解は間違っていたことになる。

私は、ここにいう「人間的自然存在」を「人間社会」と理解して、人間社会の自然的側面は人間と外的自然との技術的関係をなすのであって、精神的風土をこのようなものと規定するのはおかしい、と批判したのであった。私は、いまここで、これを訂正する。

五五二頁にいう「人間的自然存在の自然的側面」という規定は、四〇四頁にいう「社会的自然の自然的側面」と同じ規定をなすのであって、「場所的現在において包みこまれている自然史的過程」をさす、すなわち「「社会における自然」とも呼ばれ」るものをさす、としなければならない、といま私は考える。

このように考えるときわめて大きな問題が生じる。「この精神的風土は、」「人間的自然存在の自然的側面」＝「社会的自然の自然的側面」＝「場所的現在において包みこまれている自然史的過程」にかかわる概念なのである、というように黒田は規定した、ということになるのである。これは、精神的風土という概念を、「場所に包みこまれている自然史的過程」という規定の地位にたかめた、すなわち、物質の根源的な規定としての「《物質的＝自然的なもの》」という概念の地位にたかめたということを意味するのである。それはまた同時に、「風土」という概念を、そして「地域的特殊性」という規定を、そのような地位にたかめた、ということを意味するのである。

『実践と場所』での黒田の物質にかんする根源的な規定に従えば、精神的風土は、「人間存在およびそれがおいてある場所を超越するところのものを、だがしかし絶えざる人間実践をつうじて、その超越性において同時に内在化され・そうすることにより限りなく認識が深められるとともに変革されてゆくところのものを、このようなものを、われわれは《物質的＝自然的なもの》として前提する」（一五一頁）、このようなものにかかわる概念だ、ということになるのである。

このように考えてくるならば、黒田が「人たるものが実存的危機にさらされるような時にはそれとして意識されることなくほとばしり出るもの、——このようなものの対象的規定が、ここにいう精神的風土である」（五五二頁）、と言っているのは、実存的危機にさらされた人間の内に、精神風土と規定されるところの、場所的現在に包みこまれている自然史的過程たる「日本人らしさ」＝「日本人」「日本民族」という民族性がほとばしり出る、ということなのだ、ということになるのである。黒田は、「それぞれのブルジョア的民族の意識の深層にひそんでいるところのもの、これを対象的に表現するばあいには、このようなものを「精神的風土」と規定するほかないであろう」（五五一頁）と言い、この「精神的風土」を「人間的自然存在の自然的側面にかかわる概念」と規定していたのだからである。

これは、おのれのプロレタリア的実存を破壊し、おのれが日本人的実存となることの、根源的な物質からの存在論的な基礎づけではないだろうか。

黒田は次のようにも言っている。

「資本制生産関係に編みこまれた人間は、たとえ歴史意識や階級的価値意識にみちあふれていたとしても、それぞれのエスニック集団がそのなかで育まれてきたところの伝統的文化ないし精神的風土から、完全に解き放たれているわけではないのである。というわけは、いわゆる実存的危機にたたきこまれ絶望の淵に呻吟し苦悶するようなばあいには、人たるものは、理論的実践的の理性力をこえたところの、情意的なもの・それとして意識されてはいなかった無意識的なもの・下意識的なものを噴出させることにもなるのだからである。ブルジョア的民族が形成される以前に形づくられてきたエスニック集団のエスニシティが、ブルジョア社会的人間のメンタリティの下層に畳みこまれる形で沈殿しているのだからである。」（五五〇頁）

これは、おのれ自身が、この晩年に、おのれの実存的危機にたたきこまれ絶望の淵に呻吟し苦悶してプロレタリア的実存を捨てることの、自己正当化ではないだろうか。

この場所においてあるわれわれは、全自然史的過程をとおしてプロレタリアとして創造されたのである。日本民族ないしヤポネシア人エスニシティとして創造されたのではない。われわれのおいてあるこの場所そのものは、すなわち全自然史的過程をとおして創造された物質的なものは、資本としてわれわれに対立するのである。この物質的なものは、「日本人らしさ」という精神的風土なのではない。四季がはっきりしているという日本の風土なのではない。日本列島という地域的特殊性なのではない。

二〇二三年一月二三日

〔3〕階級社会への転換をあいまいにするためのアジア的生産様式の特別視

黒田寛一は、社会形態の発展について、『実践と場所　第一巻』において次のように論じている。

「このように社会的人間存在の「人―間」的価値意識性が対象的に表現されている文化および「文化財」は、時代性・階級性を体現しながら、しかも変容をうけつつ、後代の階級社会におくられてゆくのである。

いわゆる文化をこのようなものとして捉えるためには、それゆえに唯物史観（社会弁証法）が前提にされなければならず、この歴史観によって把握内容も規定されてくることになる。原始共産制から「奴隷制・農奴制・資本制」という三大階級社会形態へ、さらに階級なき未来社会へ、というように人間社会史は地域的かつ段階的に発展するものとしてとらえられる。人間種族あるいはエスニック集団が、それにもとづいて発展してきた「共同体」を基本にすえて社会史をとらえるばあいには、原始的・ギリシア＝ローマ的・そしてゲルマン的の三類型が剔出されうる。（注意されるべきことは、後二者が階級的に疎外された形態であることが確定されなければならないという点である。このような留保づきの括弧づきの共同体を没階級的にあげつらうのは、ブルジョア社会に現存する家族を「共同体」とみなすことと同断である。）そして、アジアにおいて太古から存在していた専制体制（いわゆる「アジア的専制」）を、ヨーロッパ的奴隷制に似た形態をふくみつつも・時代的にはこれに先立つ生産様式であるとし、この専制がおこなわれた時代の社会的生産を、マルクスは「アジア的生産様式」と規定し、もって、これが「アジア的停滞性」の根拠であると論じたのであった。「物質的＝精神的」生産の仕方様式を、つまり生産（＝生活）様式を、それぞれの様式が歴史的に繁栄し衰滅した地域に即して把握するばあいには、「アジア的・古代ギリシア＝ローマ的・中世ゲルマン的」というように特徴づけることが可能である。」（五八四〜八五頁）

「いうまでもなく、専制主義にもとづくアジア的生産様式は、治山治水とりわけ灌漑・排水を大規模に効率的におこなうために創出された方法であって、ヨーロッパ的形態としての原始共産制と奴隷制との混合形態、あるいは後者の政治経済制度に似た形態であるともいえる。」（五八五頁）

だが、アジア的生産様式を「ヨーロッパ的形態としての原始共産制と奴隷制との混合形態」などと規定するのは、アジアを特別な地域とみなし、アジア的生産様式を特別視して、原始共産制の社会から階級社会への転換の区切り目をあいまいにするものである。原始共産制の社会は無階級社会なのであり、奴隷制の社会は階級社会なのであるからして、両者の形態は画然と区別されるのであり、両者の混合形態などというものはありえないのである。

「三大階級社会形態」として「奴隷制・農奴制・資本制」の三つを挙げるとともに、「共同体」の形態としては「原始的・ギリシア＝ローマ的・そしてゲルマン的の三類型」を指摘し、それぞれの生産様式が主要に成立した地域に即して把握したばあいとしては「アジア的・古代ギリシア＝ローマ的・中世ゲルマン的」というように論じるというのでは、これを読む者に、意図的に、「原始的」社会と「アジア的」社会とを二重うつしにするように印象づけるかのようである。

マルクスの「アジア的生産様式」の規定に立脚するかぎり、階級社会形態としては「アジア的専制・奴隷制・農奴制・資本制」の四つを挙げるとともに、「共同体」の形態としては「原始的・アジア的・ギリシア＝ローマ的・そしてゲルマン的の四類型」を指摘し、それぞれの生産様式が主要に成立した地域に即して把握したばあいとしては、原始共産制的生産様式およびアジア的生産様式を地球上のあらゆる地域に成立したものとし、それ以外を「古代ギリシア＝ローマ的・中世ゲルマン的」としなければならない。

「アジア的生産様式」という規定にかんしては、マルクスの時代には、この形態はアジアにおけるそれが主要に研究されたことからして、彼が「アジア的」という呼称をあたえたのだ、といわなければならない。マルクスが「資本制生産に先行する諸形態」においてアジア的生産様式にかんしての研究の対象としたのは、イギリスが植民地として支配したインドであったが、当時でも、中国、エジプト、メソポタミアやアメリカ大陸の各地などに存在した同様の社会は知られていたのであった。

今日では、マヤ・アステカ・インカなどの滅び去った社会の研究がすすんでいるのであるからして、「アジア的生産様式」という呼称は、それが早くに発見され研究された地域をさすものとしなければならないのである。

一九五〇年代に書かれた『社会観の探求』であるならば、階級社会の諸形態を「奴隷制・農奴制・資本制」という三大形態とするのは当然であるとしても、ギリシアにおいて、奴隷制の社会の以前に、ミケーネ社会などの、古代エジプト社会と同様のアジア的生産様式をとる社会が存在していた、ということが明らかにされ研究された一九六〇年代以降には、階級社会の諸形態を「アジア的専制・奴隷制・農奴制・資本制」という四大形態としなければならないのである。アジア的生産様式をとる社会においては、貨幣や商品は存在せず、専制国家の官僚が記帳によって生産と分配を指揮し管理していたのであり、王と官僚と神官などの支配階級によって収奪されていたのは、売買されるところの奴隷ではなく隷属農民だったのである。

マルクスはアジア的生産様式をヨーロッパ的奴隷制に似た形態（ないしそれをふくむもの）と捉えたわけではない。そのようにみなしたのはスターリンであって、スターリンはそのようにみなして、マルクスの言うアジア的生産様式を抹殺し、それをギリシア＝ローマ的奴隷制のなかにふくませて、かの五段階発展史観を定式化したのである。

また、マルクスは、アジア的生産様式を「アジア的停滞性」の根拠であると論じたのではない。「アジア的停滞性」ということを主張したのはマルクス以前の論者たちなのであり、マルクスの言うアジア的生産様式を「アジア的停滞性」の根拠であると論じたのは、マルクスよりもずっと後のスターリン主義学者やブルジョア学者たちなのである。そう論じた学者たちは、アジア的生産様式そのものと、ヨーロッパにおいて封建制が成立した後にそれの影響をうけて中国などでうみだされたところの、アジア的生産様式が封建制的に変化した形態とを一緒くたにしていたのである。

日本における社会の諸形態の発展にかんして、「古代奴隷制（律令制）、中世農奴制（荘園・公領体制）、そして三百年にわたる江戸時代、さらに明治維新以降の急速な「近代化」の時代、こうした歴史の歩み」（四六四頁）というように捉えるのは、アジア的生産様式を抹殺したスターリンの五段階発展史観をアテハメたものだ、といわなければならない。

「原始古代＝大和王朝時代」（五八六頁）と言ったのでは、黒田は、大和王朝時代を、「原始共産制と奴隷制の混合形態」と捉えているのか、と思えてしまうのである。天皇が君臨する大和王朝時代の日本の社会には、原始共産制的要素ないし痕跡は微塵もない。それは、専制君主の支配するところのアジア的生産様式の日本的形態の社会なのである。

黒田が「アジアにおいて太古から存在していた専制体制」というときの「太古から」ということについては、立ち止まって考察しなければならない。三十万年前とか何万年前とかをさして、黒田は「太古」と呼ぶからである。三十万年前には専制体制は存在せず、ホモサピエンスさえもが誕生していず、当時生存していた人類種は原人なのである。何万年か前にも専制体制は存在せず、ホモサピエンスの原始共同体が現存していたのである。紀元前五〇〇〇年ぐらいに中国の長江流域や黄河流域に成立したのが、アジア的生産様式をとる専制体制だ、といいうるであろう（研究の進展によってもっとさかのぼるかもしれない）。

アジア的生産様式をとる専制体制の成立によって、それまでの原始共同体という形態での原始共産制の無階級社会は、階級社会に転換したのである。この区切り＝結節点を明確におさえなければならない。階級社会の諸形態のなかからアジア的生産様式をとる専制体制の社会を放逐するとともに、アジア的生産様式を「ヨーロッパ的形態としての原始共産制と奴隷制の混合形態」などと規定するのは、この区切り＝結節点をあいまいにするものである。それは、アジアという地域的特殊性の名のもとに、無階級社会と階級社会とを混然一体化させ、連続化させるものである。
（アジア的生産様式にかんしては、『危機 現代へのマルクス主義の貫徹』のなかの「アジア的生産様式論序説」の諸論文を参照されたい。）

二〇二三年一月二三日

〔4〕 プロレタリア的価値意識の抹殺

黒田寛一は、『実践と場所　第一巻』において、「価値意識性」というカテゴリーをつくりだしている。

「このように社会的人間存在の「人—間」的価値意識性が対象的に表現されている文化および「文化財」は、時代性・階級性を体現しながら、しかも変容をうけつつ、後代の階級社会におくられてゆくのである。」（五八四頁）

彼はこのように言うのであるが、プロレタリア的価値意識、プロレタリア的主体の価値意識、人間主体の価値意識とは言わない。（歴史的過去について論じるのだとしても、その時代の支配階級の価値意識とか、被支配階級の価値意識とかとは言わない。）

あくまでも、対象化されてあるものとしての「文化および「文化財」」から出発し、これに対象的に表現されてあるものとして説き起こすかたちで「社会的人間存在の「人—間」的価値意識性」が問題とされるのである。こういうことからして、人間主体の価値意識ではなく、人間と人間との間にあるものとして想定される「価値意識性」というようなものが問題とされるのである。かならず「性」という語がくっつけられるのである。

このように論じられるかぎり、私は、それを担う諸実体をぬきさったところの関係なるものから出発する廣松渉を想起してしまうのである。

たとえ「時代性・階級性」ということが語られたとしても、それは、「文化および「文化財」」が体現しているものとしてとりあげられるにすぎず、生きた人間そのものの階級性ではないのである。

このような論じ方は、この『第一巻』においては、われわれの実践そのものの主体的解明については一切論じないとし、太古の昔からの社会的人間存在の歴史的発展をこの場所に畳みこまれているものとして存在論的に展開するとしていることによって許されている、といってよい。だが、前者から切り離して後者を論じるのであるかぎり、それは、歴史主義的で客観主義的なものに堕してしまうのである。

いま引用した文の直前に書かれているのであるが「時代的な価値意識性」と表現したのでは、その時代に生きた人間主体が完全にぬきさられ、人間のいない時代と空に浮いた価値意識性なるものとが連関づけられるかたちで、価値意識性なるものが実体化されて論じられているのである。

「「誰かが――誰かに」という社会的実体関係ないし階級関係が、したがってまたこの関係につらぬかれ浮きだしている意味（「何のために・なぜに」）や技能ないし技術（「どのように」）が、必然的に同時に把握されなければならない」（五八四頁）、などと語られるかぎり、これの主語部分は、敵階級にたいして・何のために・どのように・たたかうのかというように目的と手段を構想するわれわれないし階級的主体がいないところの客体化された社会的実体関係ないし階級関係と、それを考える主体がいず空中に浮かんでいる「何のために・なぜに」なるものや「どのように」なるものが関係づけられたものなのである。そのようにしたうえで、これを把握すべきだ、とされているのである。

「この関係につらぬかれ浮きだしている意味」という表現は、いかにもおかしい。われわれがこの関係を分析することをとおして、われわれにとってそれのもつ意味をつかみとるのではないだろうか。この表現では、意味なるものが、この関係につらぬかれ浮きだしているものとして客観的に存在しているかのようである。

黒田は、このような論理を駆使して、プロレタリア的主体たるわれわれのプロレタリア的価値意識を抹殺し、日本文化につらぬかれている日本人ないし日本民族の価値意識性というようなものを想定しているのである。

二〇二三年一月二五日

〔5〕黒田寛一の歌にある「死を謳歌せよ」は戦死の称揚ではないだろうか

私は、気になって・また・わが仲間から指摘されて、二〇〇〇年を前後する時期の本を、段ボール箱のなかから探し出している。

『自撰 黒田寛一歌集　日本よ！』（こぶし書房、二〇〇六年刊）という本がある。
なぜ「日本よ！」なのだろうか。なぜ「プロレタリアよ！」ではないのだろうか。
この本のカバーに次の歌が書かれている。

木枯に揺ぐ欅の
もみぢ葉よ天空
　舞ひて死を
　　謳歌せよ

鎮守にて武運長久祈りしも
武運つたなく辛びし屍

これは、戦死を称揚するものではないだろうか。これは、日本の帝国主義的侵略戦争に兵士として動員された労働者・農民の戦死を、この無念の死を、私にはこのわが身を切られる思いのこの死を、「死を謳歌せよ」と推奨し賛美し称揚するものではないだろうか。

『実践と場所　第一巻』には次のように書かれていた。

「「武運つたなく」戦死をとげた戦没兵士を迎えるさいにも、小学生が動員された。このばあいの行進は、厳かに静々と哀悼の念をもっておこなわれた。欅の葉がかすかに揺れる静けさのなかを、ショパ

ンの葬送行進曲がもの悲しげに響きわたるにすぎないしめやかさであった。」（二〇三頁）
これを書いた晩年の黒田の内には、この小学生の時の自分の心の揺らめきと情感と高揚がふつふつと湧きおこっていたのではないだろうか。戦死を美しいものと感じたその心情と情感が、鮮やかによみがえっていたのではないだろうか。
幼少のおのれの心象風景と情感と情緒をよみがえらせた老齢の黒田の心の奥底は、同じく本のカバーで、次のように表出し表現されている。

美的な心情・情感豊かな感性に裏打ちされた
思考と情感とのたえまない葛藤と融合！
生きとし生けるものへの深い哀惜と慟哭。

二〇二三年一月二六日

〔6〕学徒に「自ら死ぬ事」を説いた田辺元への黒田寛一の賛辞

黒田寛一は、みずから解説を書いて、田辺元の『歴史的現実』をこぶし書房から出版した（二〇〇一年）。黒田は、そのゆえんを次のように書いている。

「「解説」を書くことを私が決意したのは、拙著『実践と場所』第一巻（二〇〇〇年三月刊）の執筆の過程で、偶然にも『歴史的現実』という一九三九年五～六月におこなわれた田辺元の講義の記録を耳読して、この書の今日的意義をおそまきながら自己確認したからなのである。」（二一九頁「解説」）

「西田・田辺哲学と正面から対決したことが一度もないにもかかわらず、この哲学が自己のうちに滲みとおり宿っているということは、梯・梅本の哲学的探究を受容することによって、同時に西田・田辺哲学の核心的なものがそれとして意識しないままに内面化されていることを示しているのだといえる。」（同前）

だが、田辺元は学生に向かって次のように講義しているのである。

「所で我々が死に対して自由になる即ち永遠に触れる事によって生死を超越するというのはどういう事かというと、それは自己が自ら進んで人間は死に於て生きるのであるという事を真実として体認し、自らの意志を以て死に於ける生を遂行する事に外ならない。その事は決して死なない事ではなく、却て死を媒介にして生きることにより生死の対立を超え、生死に拘《かかわ》らない立場に立つという事である。具体的にいえば歴史に於て個人が国家を通して人類的な立場に永遠なるものを建設すべく身を捧《ささ》げる事が生死を越える事である。自ら進んで自由に死ぬ事によって死を超越する事の外に、死を越える道は考えられない。」（七二～七三頁）

これが、田辺元の講義のクライマックスであり、田辺元がこのように説いているにもかかわらず、黒田は、この展開を内容的に紹介することもしなければ、この展開がどのような今日的意義をもっていると自己確認したのか、ということも明らかにしない。当然、この展開を、唯物論の立場にたってどのように批判的に摂取するのか、ということは語らない。

ただ、「歴史的現実における被投的企投の哲学は、かくして、大日本帝国のアジア諸国への侵略を、そして大東亜戦争への驀進《ばくしん》を、哲学的に基礎づけるものとなる。」（二三四頁「解説」）というように、黒田は田辺哲学を外在的に否定するだけなのである。もしも田辺哲学をこのように否定するのであるならば、それは今日的意義を何らもっていない、ということになるのである。

しかも、「被投的企投の哲学」と特徴づけたのでは、田辺元の哲学を、オブラートで包んで、おだやかなものとして紹介したにすぎないのである。田辺元の説く「死に於て生きる」に自分は感動したのだ、とは、黒田は言わないのである。

田辺元は、学生に、国家のために身を捧げる事、自ら進んで死ぬ事、すなわち特攻精神を説いたのであり、それを、永遠に触れる事によって生死を超越する事として、永遠なるものから存在論的に基礎づけたのである。

黒田が田辺元のこの論理展開には言及しなかったのは、この田辺元の精神と存在論を自分自身の心の奥底でみずからのものとしていたからではないだろうか。

このような存在論は、『実践と場所』の黒田の場所の存在論において――田辺元の「永遠」を「物質」に置き換えたうえで――息づいているのだ、といわなければならない。

だが、「死に於て生きる」「永遠に触れる」という田辺元の存在論には、われわれが唯物論的に転倒して受け継ぐべきものは何もない、と私は考える。特攻精神を永遠なるものから存在論的に基礎づける哲学は救いようがない。われわれが唯物論的に転倒して受け継ぐべきなのは、西田幾多郎の場所の哲学であり、これを唯物論的に摂取することに努力した梯明秀および梅本克己の哲学的探究である（彼らが田辺哲学すなわちその存在論を唯物論的に摂取しようと努力した側面は破棄して）、と私は考える。

黒田寛一の哲学的営為にかんしては、彼の場所の存在論ではなく、彼がその解明に努力した、われわれの実践そのものの主体的解明をこそ、――マルクスの実践的唯物論に立脚して、――われわれは主体化し受け継ぎ発展させるべきである、と私は考えるのである。（場所の存在論にかんしては、マルクスが主客の弁証法というかたちで明らかにしたのであり、これを受け継ぎ発展させればいいではないか、と思うのである。）

二〇二三年一月二六日

〔7〕 階級社会への転換の抹殺

黒田寛一の『実践と場所　第二巻』は次のような叙述につらぬかれている。

「このような社会的場所の地域的・風土的な特殊性において、階級的疎外にたたきこまれながらも営々と生産し生活しつづけてきた人びと、時代的に変化し段階的に発展してきた生産様式に決定されながらも、世代から世代へと受けつがれ変容してきた生活様式（暮らし方）とこれにもとづいて創出された地域文化をひきついできた人びと。――たとえ彼らが階級支配のもとにおかれ、特定の階級国家のもとに「国民」として編みこまれ、近代ブルジョア民族という規定をうけとるのだとしても、彼らは同時に本質的には、支配される階級と支配する階級とに基本的に分たれるのである。特殊的社会において生き働き生産する人間のこの階級性には、しかし、約一万年も前から地域的に形成されはじめたエスニック集団に固有なエスニシティと、風土的特殊性を帯び徐々に時代的に変容をこうむってきたそれが、そしてブルジョア的民族性が、つらぬかれているのである。それだけでなく、ネグロイド・モンゴロイド・コーカソイドという人種上の違いが、これらに重なりあう。」(二〇八頁)

この展開の特質は次の点にある。

「彼らは同時に本質的には、支配される階級と支配する階級とに基本的に分たれるのである」として、階級的分裂を確認したうえで、その後に、「特殊的社会において生き働き生産する人間のこの階級性には、しかし、約一万年も前から地域的に形成されはじめたエスニック集団に固有なエスニシティと、風土的特殊性を帯び徐々に時代的に変容をこうむってきたそれが、そしてブルジョア的民族性が、つらぬかれているのである」と黒田は書き、後者の文の途中につっこんでいる「しかし」という接続詞をもって、前者の論述の内容を後者の論述の内容へとひっくり返してしまうのである。ここに「しかし」という語が位置しているかぎり、その前の、階級と階級とに分たれるということよりも、その後の、この階級性には「エスニシティ」「風土的特殊性」「ブルジョア的民族性」がつらぬかれているということを、筆者は重要視し押しだしているのだ、ということを、この文章は意味するからである。

このような文章表現上のあやを駆使して、黒田は、「約一万年も前の」無階級社会から階級社会への転換をあいまいにし、この両者をくくったものを、地域的に形成され風土的特殊性を帯び時代的に変容をこうむってきたエスニック集団として、階級性を超えた歴史貫通的な存在とみなすのである。

日本人にかんしては、黒田は次のように説き起こす。

「約三十万年前からヤポネシアに居住しはじめたと思われる古モンゴロイド系のヤポネシア人が、蛇紋土器文化を創造し古日本語をつくりだしたときに、血縁にもとづく氏族共同体ないし親族共同体はエスニック集団になったといえる。」（二三二頁）「ヤポネシア人が、朝鮮半島をつうじて渡来した寒帯順応型大陸モンゴロイドと混血することをつうじてひらいたのが、弥生土器文化であった。渡来人たちは稲作技術や製鉄技術や漢字文化などをもちこみはじめ、紀元前約四世紀から紀元六世紀にかけての約一千年間に、ヤポネシア人は渡来文化を吸収し、古墳時代を経て日本古代の奴隷制およびその文化を徐々に創造したのだと推定される。」「列島東部（関東地方など）に残っている「前方後方墳」や列島西部に見いだされる「前方後円墳」は、四、五世紀の技術の粋を集めたものといえる。」（二四五頁）「弥生土器時代・古墳時代を経て、古代奴隷制・中世農奴制・近代資本制というような社会史をつくりあげてきた」（二〇九頁）。

ここでは、ヤポネシア人というエスニック集団なるものが、階級を超えた歴史貫通的な存在とされているのである。

ここで「古代奴隷制・中世農奴制・近代資本制」という規定は、スターリンの五段階発展史観をアテハメたものといえるのであるが、黒田は、ヤポネシアのエスニック集団の出発点をなすとみなす蛇紋土器時代を原始共同体ないし原始共産制と規定しない。何とも規定しないのである。これは、どうも、弥生土器時代と古墳時代、とりわけ古墳時代にかんしてその社会形態を規定しないためではないか、と私には思えるのである。

「前方後方墳」や「前方後円墳」を「技術の粋を集めたもの」などと言うのは、古墳へのものすごい賛辞である。黒田は、エジプトのピラミッドにかんして「技術の粋を集めたもの」と言うのであろうか。古墳と呼ばれるこんな巨大なものをつくるのだから、この時代には、社会は支配階級と被支配階級に分裂していた、といえる。しかし、黒田は、この階級的分裂については語らない。

この時代にはすでに大和朝廷が成立していたのである。天皇と呼ばれることとなった専制君主の一族とこれに仕える諸豪族、神を祭る者どもなどが支配階級をなしていたといえる。そして彼らによって収奪される隷属農民（あるいは他の仕事をする者もふくめて一般的に表現すれば隷属民）が被支配階級をなしていたといえる。前者の天皇を長とする者どもが、後者の隷属農民を使って古墳をつくったのである。私は、このことを言わないでは、「技術の粋を集めたもの」などとは言えない。

この時代には、このように大きな土木事業をやったのであり、この時代の生産様式をアジア的生産様式と呼ぶことができる。

一般的に言うならば、人類の誕生とともに、人類が住みついた地球上のあらゆる地域で、原始共産制的生産様式をとる原始共同体がうみだされたのである。この原始共同体は、太平洋の島や極地などの・他と隔絶された地域を除いて、すべての地域で、時期的差はあれ、またその形態はさまざまであれ、アジア的生産様式をとる社会に転化したのであり、階級社会へと疎外されたのである。（「アジア的」という語は、最初に研究されたその対象の地域をさすにすぎないのであり、その生産様式は世界のあらゆる地域で生みだされたのである。）ギリシアといえども（ローマについてもそうだと思うけれども、私はローマについては個別的研究をやっていない）、原始共産制の社会から奴隷制の社会へと転化したのではない。この地域には、古代エジプトと重なる時代に、アジア的生産様式をとる諸社会が成立していたのであり、このアジア的専制の国家が崩壊したのちに、この地に奴隷制の社会が生みだされたのである。奴隷制生産様式を支配的な生産様式とする社会が生みだされたのは、世界でギリシアとローマだけである。ブルジョア国家が成立したそれぞれの地域に、スターリンの五段階発展史観をアテハメて、奴隷制と解釈されていた社会は、ほぼすべて、アジア的生産様式をとる社会だ、といってよい。

原始共産制の社会が階級社会へと疎外されたときには、原始共同体の内部に支配する者と支配される者とが生みだされ、これが階級となった、ということではない。ある共同体が他のいくつもの共同体を制圧し支配したのであり、前者の構成員が支配階級となり、後者の構成員が被支配階級となったのである。このばあいに、前者の者どもは専制君主とそれにつながる種族として、後者の諸共同体にたいして、小さな共同体というその形態を残したままでその諸成員をその共同体に繋縛《けいばく》させ、彼らの剰余労働を収奪したのであり、支配された者たちは共同体の「偶有的属性」(マルクス)となり、この共同体は被支配階級の者からなる共同体へと疎外されたのである。そして専制君主およびその種族とこれが支配する小さな諸共同体とからなる大きな共同体が、アジア的専制国家を形成したのである。

マルクスは次のように書いている。

「たいていのアジア的根本形態におけるように、すべてのこれらの小共同体の上に立つ包括的統一体が、上位の所有者または唯一の所有者としてあらわれ、したがって、現実の諸共同体はただ世襲的な占有者としてのみあらわれる、というばあいである。統一体は現実の所有者であり、共同体的所有の現実の前提であるのだから――この統一体そのものが、多数の現実の特殊な諸共同体のうえに、一つの特殊者としてあらわれうるのである。そして、そのばあい個人は事実上無所有である。いいかえれば、所有――すなわち、彼に属する諸条件としての、客体的諸条件としての、労働および再生産の自然的諸条件にたいする個人の関係、非有機的自然として存する彼の主体性の現身――は、個人にとっては、総統一体――それは多数の共同体の父としての専制君主において実現されている――から特殊な共同体を媒介として個人に移譲されることを通じて、媒介されたものとしてあらわれる。したがって、剰余生産物――といっても労働による現実的占取の結果として合法的に規定されるそれ――は、おのずからこの最高の統一体に属する。」（マルクス『資本制生産に先行する諸形態』岡在次郎訳、青木文庫、一〇～一一頁――傍点は原文）

私は、マルクスのこの論述をおのれのものとし、マルクス以降の研究を検討したことにふまえて、原始共同体がどのようにして疎外されアジア的専制国家が成立したのか、というように、いま展開したのである。

また、私は、大和朝廷によって支配され収奪された小共同体、その諸成員を隷属農民と呼んだのである。

このように考察してきたことを基礎とするならば、黒田が、次のように論じて「社会的に共通的な価値意識性」というようなものを設定するのは、ヤポネシア人のエスニシティないし日本民族のメンタリティといったものを、階級および階級性を超えるものとして基礎づけるためである、ということがわかる。

「自《じ》―然《ねん》に、規範にのっとった行為をしたり、規範に反したり規範から逸脱したりした行為をするようになるのは、日常生活経験や実践的体験をつうじて人間存在の内に社会的に共通的な価値意識性がつくりだされているからなのである。この意味において、共通的な価値意識性とは、内面化された社

会的規範であるといえる。」（二〇五頁）

「もろもろの人間実践をつうじて歴史的に創られるとともに・逆にこれを制約し規定することになる社会的諸規範は、そこにおいて生産的＝「人—間」的実践がおこなわれる社会的場所の地域的特殊性を、あるいはその特殊的風土性を刻印される。」（二〇七頁）

もしもこのことを、人間社会の本質論のレベルにおいて、すなわち人間社会の本質形態にかんして論じるのだとするならば、「社会的場所の地域的特殊性」とか「特殊的風土性」とかというものを捨象し、「社会的に共通的な価値意識性」ではなく、共同体ないし共同社会の自覚的一員としての人間の価値意識そのものを論じるのでなければならない。

黒田は、ここでは、このような人間社会の本質形態にかんして論じているのではなく、私のこの文章の冒頭に引用したように、「階級的疎外にたたきこまれながらも営々と生産し生活つづけてきた人びと」（二〇八頁）について論じているのである。

だが、そうであるかぎり、黒田の論述は誤謬である。

階級的疎外にたたきこまれている人びとには、彼らに共通的なものとしての、「日常生活経験や実践的体験をつうじて人間存在の内に」つくりだされている「社会的に共通的な価値意識性」などというものは存在しない。そのようなものが存在すると考えるのは幻想である。

原初的なものとして、アジア的生産様式をとる社会を考えよう。支配階級たる専制君主・官僚・神官などは、神とその化身たる王の名において、隷属農民たちに彼らが生産した諸生産物を国家の倉庫に収めさせることを、おのれの価値意識としたのである。これにたいして、被支配階級たる隷属農民たちは、神とその化身たる王をあがめて、自分たちが生産した諸生産物を国家に貢納するのが自分たちの定めだ、という価値意識をもつことを強制されたのである。エジプトの隷属民はピラミッドをつくることを、日本の隷属民は前方後円墳をつくることを、自分が神と一体化することであると感じて、その仕事に熱烈に邁進したのである。これが、彼らの価値意識だったのである。

専制君主・官僚・神官どもと隷属民たちとでは、経験し体験した日常生活そのものが異なるのである。前者は、神の声を聞き、計画し記帳して、隷属民たちに生産と労働を割り当て、諸生産物を収めさせ・土木作業に動員する、という日常生活を送ったのであり、後者は、神に命じられたものと信じて、生産と巨大建造物の構築のための労働に励む、というのが日々の生活だったのである。

専制君主・官僚・神官どもと隷属民とで異なるこの生活の体験に共通なものを見出し、「共通的な価値意識性とは、内面化された社会的規範である」などというのは、この階級的対立を、専制君主・官僚・神官どもによる隷属民からの剰余労働の収奪と宗教的・政治的支配を、おおい隠すものである。社会的規範そのものが、支配階級の成員と被支配階級の成員とではまったく異なるのであり、前者のそれは、後者から収奪し後者を支配するためのものであり、後者のそれは、前者に屈従し諸生産物と労働をさしだすことを定めとして強制されたものなのである。

しかも、こうした支配階級と被支配階級とのあいだに、地域的特殊性や特殊的風土性というような共通性が刻印されていたわけではない。いまでは、一定の地域にこの専制国家が成立しているのだとしても、この国家の専制君主・官僚・神官などになっている者どもと、彼らに支配される・いくつもの小共同体の成員をなす隷属民とでは、異なる共同体を形成していたのであり、前者の共同体が後者の諸共同体を制圧したのである。こういうことからして、前者の共同体と後者の諸共同体とでは、また後者の共同体同士でも、暮らし方や習慣や規範は異なったのである。新たに、一定の地域を物質的諸条件として、支配階級に成り上がった者どもが、自分たちによる収奪と支配に適したように、支配する自分たちの規範と自分たちに従わせる者たちの規範をつくりだし、この後者をいくつもの小共同体とその諸成員に強制したのである。このようにして、小共同体の諸成員は、共同体に繋縛された隷属民となったのである。

黒田の論述には、このような分析はまったくない。黒田の理論展開は、階級的に分析することを回避したものなのである。

『実践と場所　第二巻』は、階級を超えたエスニック集団ないし日本民族といったものを設定するための、人間の歴史についての超階級的で超歴史的な説明につらぬかれているのである。

われわれは、若き黒田寛一をよみがえらせるために、『実践と場所　第二巻』を――その『第一巻』とともに――その根底からひっくりかえすのでなければならない。

二〇二三年一月二八日

〔8〕　自己変革のない価値意識の形成

黒田寛一は、『実践と場所　第三巻』において、おのれの価値意識について次のように語っている。

「論件先取であると否とにかかわりなく、《いま・ここ》において音を見つつ聞《か》ぎ、匂を聞き見るとともに味わい触れ、漆黒の世界を内観しつつ、苦悩しながら変革的意志をもえたぎらせているこの私という実践主体、この社会的=価値的意識を起点にすることによってのみ、人間存在に固有な社会的意識の価値性あるいは価値的意識は論じうる、というように私は考える。」(二〇五頁)

ここで黒田は、「漆黒の世界を内観しつつ、苦悩しながら変革的意志をもえたぎらせているこの私」というように、おのれの烈々たる変革の意志を溶出させ表明している。彼は、まさに、おのれを語っている。

だがしかし、黒田は、これに直続して次のように論述している。これはどうなのであろうか。これは、彼がおのれを語っているものなのであろうか。

「系統発生的にも個体発生的にも歴史的産物であるところの人間脳髄の構造および機能、これを物質的基礎とし、もろもろの実践および意味づけられた体験の内面化をつうじて創造されたのが、人間個々人の社会的価値意識である。しかも、生活場の社会的特殊性に決定されたエスニシティの社会的特殊性をみずからのうちに体現しているところの社会的諸規範(言語的表現にかんする規範をふくむ)をば実践的に内面化しているがゆえに、社会的価値意識は「社会的に共通な」という被規定性を有っているのである。このようなものとしての価値意識をまさに自明の前提として、実践し感覚し情感し認識し思惟する社会的存在の意識の働きは把握されなければならない。」(同前)

ここで論じられているのは、黒田その人の価値意識ではない。それは、「「社会的に共通な」という被規定性を有っている」「社会的価値意識」ということなのであるからして、現代社会に生きている人間に共通な価値意識である。それは、ブルジョア的人間個々人の価値意識である。しかも、「生活場の社会的特殊性に決定されたエスニシティの社会的特殊性をみずからのうちに体現しているところの社会的諸規範（言語的表現にかんする規範をふくむ）をば実践的に内面化している」ところの価値意識だ、ということなのであるからして、それは、現代の日本人個々人の価値意識である。

はたして、こんなものを自明の前提として、実践し感覚し情感し認識し思惟する社会的存在の意識の働きを、われわれは把握することができるのであろうか。黒田は、おのれのもえたぎる変革的意志を、したがって、われわれは、このわれわれの・この私の・もえたぎる変革的意志を、すなわちわれわれのこの価値意識を、まさに自明の前提としてこそ、実践し感覚し情感し認識し思惟する社会的存在の意識の働きを把握することができるのではないだろうか。

私が引用した後半部分を書くことによって、黒田は、自分自身が、人生のどん底につきおとされたおのれに苦悩しながらマルクス主義を学習し、『ヘーゲルとマルクス』『社会観の探求』『プロレタリア的人間の論理』を書くというかたちで、自己を変革し自己の思想をつくりあげプロレタリア的価値意識を獲得してきた、というこのおのれの思想的格闘をふりかえり明らかにすることを、社会的人間存在の価値意識と意識の働きにかんする論述から除外してしまったのである。

これでは、『第三巻』のテーマである「場所の認識」にかんして解明することはできないのである。

人間社会の本質論のレベルで論じるのであるならば、共同体的人間存在であるわれわれが外的自然を変革するという、われわれの変革的意志を、すなわちわれわれのこの価値意識を、われわれは出発点としなければならないのである。現代社会においてある人間の認識というレベルで論じるのであるならば、プロレタリアであるわれわれがこの資本制的現実を変革するという、われわれの変革的意志を、すなわちわれわれのこのプロレタリア的価値意識を、われわれは出発点としなければならないのである。

黒田は、変革的意志をもえたぎらせているこの私を起点とする、というように表明したにもかかわらず、ブルジョア的人間個々人・あるいは・日本人個々人に共通な社会的価値意識というようなものをもちだすことによって、当初において起点とするとしたところのものを否定してしまったのである。おのれをふりかえるということから言えば、黒田は、どん底のおのれに苦悩しながらプロレタリア的人間へとおのれを変革してきた・このおのれの思想的格闘と自己脱皮に目をつむり、そうすることによって、この自己変革を省みて教訓として明らかにすることを、それ以前のおのれ・すなわち・日本のエスニシティを内面化してきたおのれを想起し記述することに還元したのだ、といわなければならない。

このような論じ方を、すなわち、階級的観点にたって論述したうえで、これを、日本人という観点にたって語ったところのその後の展開によってひっくりかえす、という論じ方を、黒田は、もっと具体的なことがらについての叙述においてもおこなっている。この論じ方が、黒田の駆使する方法となっているのである。

まず、黒田は次のように展開する。

「いわゆる道徳律とは、地域的に特殊的な社会的場所とこれの時代性に決定されて多種多様であり歴史的に可変的なものである。それぞれの時代に、それぞれの地域（または国家）において社会通用的な道徳律とされてきたものは、それぞれの時代・地域の支配階級的利害を体現したものであり、これまでの社会の支配体制のもとではそれぞれの支配階級にむすびついた道徳律が、つまり戒律や掟が、社会的人の道または人倫たらしめられてきた。「支配的な思想は支配階級の思想である」のと同様に、支配階級的道徳が全社会に妥当させられたところの社会的規範、つまり社会的通用規範なのである。したがって支配される階級の道徳というべきものは、現存支配秩序からの逃散と忍従という名の面従腹背でしかなかったといってよいであろう。」（二一〇頁）

こう論じたうえで、黒田は、次のように展開するのである。これから論じる後半の展開を、「ところで他方」という言葉ではじめて、他の側面を明らかにしているという形式をとりながら、内容上では、右の展開を真っ向から否定するものとして、それに覆いかぶせてしまうのである。もちろん、右の展開から後半の展開への橋渡しは用意されていた。右の展開の最後の「支配される階級の道徳というべきものは、現存支配秩序からの逃散と忍従という名の面従腹背でしかなかった」というのが、それである。実際には、支配される階級の人びとには、支配階級のふりまく思想が貫徹され、彼らは強制された戒律や掟に従っていたのである。それを、面従腹背であったとすることによって、黒田は、日本人というようにひとくくりにした人びとの観念や価値意識が、支配階級がみずからの思想を社会全体に妥当させ貫徹したものではないものとして描いたのである。

それが次のものである。

「ところで他方、古代から今日にいたるまでの日本人は、天変地異や飢饉や疫病の流行などを、――蛇紋土器時代の人びとのアニミズムやシャーマニズムや祖霊信仰を伝統的メンタリティとしてうけつぎつつ、――荒ぶる神の「たたり」と観念し、この「荒ぶる神」を鎮める祈の儀式を慣習化してきたのであった。平穏無事がつづくことは、それゆえに荒ぶる神を「祀る」行事の賜であると観念し、このことを「かみのおかげ」と観念したのであった。この「荒ぶる神のまつり」と祖霊信仰とが合体して、日本人のメンタリティとエスニシティが形づくられたといってよい。日本人のメンタリティにおける八百萬神への信仰と「不信仰の信仰」（無―宗教）との共存共生は、二つの箴言――「苦しいときの神だのみ」と「神も仏もあるものか」のそれ――が共存していることのうちにもしめされている。そして、自然崇拝と祖霊信仰についての教義の欠損のゆえに、渡来した仏教や儒教や道教などの思想の中から、道徳的規範たりうるものが経験主義的に受容され、摂取され混淆され、日本人としての道徳的価値意識が日常生活に浸透して形づくられたといえるであろう。」（二一一頁）

ここでは、日本人のメンタリティとエスニシティとされるものが、完全に、階級を超えるもの・歴史貫通的なものとして描かれ、これが日本人としての道徳的価値意識とされているのである。だが、「苦しいときの神だのみ」と「神も仏もあるものか」という箴言は、支配階級からの過酷な収奪と抑圧をうけた被支配階級の人びとが自己納得してこれをうけいれるように、当の支配者どもがふりまいた思想なのである。このようなものを社会的に共通な価値意識として、自明の前提とするのでは、そのようにした者は、実践し感覚し情感し認識し思惟する社会的存在の意識の働きを決して把握することはできない。そのようにした者は、プロレタリアートの自己解放の理論を明らかにするわれわれの認識＝思惟の働きを決して解明することはできないのである。その者は、日本人という意識にとらわれ埋没したままの・疎外された人間の意識の働きを、ただ肯定的に表面的に把握することができるだけである。

このような論理が駆使されつらぬかれている『第三巻』は、したがって『実践と場所』の全三巻は、その根底からくつがえされなければならない。この理論的作業の遂行は、われわれに課せられた任務である。

二〇二三年一月二九日

〔9〕 晩年の「日本人」主義への変身をつきだし、若き黒田寛一を蘇らせよう！

晩年の黒田寛一が、日本列島の地域的特殊性に決定されたエスニシティやメンタリティというように問題を設定して論述するときには、その主体は、したがってその文の主語は、かならず「日本人」とされる。支配者と虐げられた民衆というように分けられることさえもがない。

明治時代よりも前の社会は身分制の社会であったのであるからして、その道徳、戒律や掟といっても、支配階級が自分たちで守るべきとしたものと、彼らが被支配階級の諸階層の人びとに押しつけ強制したものとは異なるわけである。「領主にこれこれの年貢を収めよ」というのは、農民が強制された掟であった。しかし、黒田は、不思議なことに、このような収奪や政治的支配にかかわる掟にはまったく触れないのである。

黒田が例証として挙げているのは、「荒ぶる神のたたり」とか「苦しいときの神だのみ」とか「神も仏もあるものか」とかというような・きわめて抽象的なものなのである。あらかじめ、日本人のエスニック集団のメンタリティをなす「社会的に共通な価値意識」は何かというように問題を設定して、それに適合するものを抽出しようとするかぎり、抽出されたものは、時代を超え階級を超えた抽象的なものとなる、といってよいであろう。

晩年の黒田は、このようにしてまでも、「日本人らしさ」という像をつくり、それを美的なものとしないわけにはいかなかったのだ、といわなければならない。

黒田は、このような「日本人」主義というべきものにつきすすむのではなく、『プロレタリア的人間の論理』を書いた若き黒田寛一にもどるべきであった。私は、この思いに駆られずにはいられない。

二〇二三年一月三〇日

〈10〉アニミズムは日本人のメンタリティなのか

晩年の黒田寛一は、「古代から今日にいたるまでの日本人は、」「蛇紋土器時代の人びとのアニミズムやシャーマニズムや祖霊信仰を伝統的メンタリティとしてうけつぎつつ」、「日本人としての道徳的価値意識」は形づくられたのだ（『実践と場所　第三巻』二一一頁）、という。

ここでは、まず、アニミズムをとりあげよう。

これを読んで、私は、アニミズムという自然信仰のようなものは、いまでも世界の各地に残っており、発見された遺跡からしても、何万年も前には、すなわち原始共同体の時代には、世界のすべての地域にあったものではないか、と思うのである。なぜ、黒田は、日本を特殊視するのだろう、と私は感じるのである。

私には、どうしても、この晩年の黒田の頭には、幼少のころに体験した、戦前の神道にもとづく諸行事や鎮守の森といったもののイメージが浮かんでいるのではないか、という気がするのである。このイメージから軍国日本をしめす色合いの諸要素を取り除いて、時代を超えて日本人に共通と思えるものを取り出し、これを歴史的過去にたおす、というように晩年の黒田の頭は自然にまわって、古代からの日本人のメンタリティとしてのアニミズムという像が彼の頭のなかにできたのではないか、というように、私には思えるのである。

このようにしてできあがったアニミズムという像は、それ自身国家神道の諸契機をなしていたところの・いろいろな自然的なものそれぞれに内在している神というものを、国家神道という扇の要を外してバラバラにしたようなものだ、と私には思えるのである。

このようなものを日本人がもっている「社会的に共通な価値意識」とみなし、「このようなものとしての価値意識をまさに自明の前提として、」「社会的存在の意識の働き」を把握する（二〇五頁）というのでは、日本のブルジョア的な常識人が物事を見る・その頭の働きを明らかにすることにしかならない、と私は思うのである。われわれは、われわれがわれわれのプロレタリア的価値意識を貫徹して対象的現実を把握する、このわれわれの頭のまわし方を解明するのでなければならない、と私は考えるのである。

二〇二三年一月三一日

〔11〕シャーマニズムは日本人のメンタリティなのか

晩年の黒田寛一は、太古の昔からの日本列島の地域的特殊性を重んじ、アニミズムやシャーマニズムや祖霊信仰が日本人の伝統的なメンタリティをなす、と説いたのであった（『実践と場所』全三巻）。

晩年の彼は、『プロレタリア的人間の論理』の若き黒田寛一とは異なって、プロレタリアの立場にたってプロレタリア的実存を問うのではなく、「日本人」というように問題をたて、「社会的存在」たる「日本人」に「社会的に共通な価値意識」は何か、というように追求したのであった。このようにして明らかにされたのが、「アニミズムやシャーマニズムや祖霊信仰」（『第三巻』二一一頁）であったのである。

日本におけるシャーマニズムというように言えば、私は、天皇制を思い起こすのである。戦前の軍国主義日本の天皇制国家と、天照大御神とか卑弥呼とかが、私の頭に浮かんでくるのである。

晩年の黒田の頭にも、幼少のころに教師や軍人教官によって自分の頭にたたきこまれた「万世一系の天皇」とか「八紘一宇」とかが、そして「神国日本」の起源として教えられた「古事記」や「日本書紀」にでてくる物語が、また日本の歴史として教師が語った邪馬台国の卑弥呼などが、よみがえっていたのではないだろうか。自分の頭によみがえったものから、軍国主義日本を鮮明にあらわす諸要素を削り取って、残った穏やかなものを歴史的過去にたおして、日本の古代からのシャーマニズムというものを、日本人のメンタリティとして、黒田は設定したのではないだろうか。

たとえ、このようにしたとしても、日本の古代からのシャーマニズムというように言えば、これを聞いた者は天皇を思い浮かべるであろう。このようなシャーマニズムを日本人に社会的に共通な価値意識として設定し、「このようなものとしての価値意識を自明の前提として」「社会的存在の意識の働き」（同前、二〇五頁）を説いたのでは、絶対者に帰依する人間の精神構造を、人間存在そのものの意識の働きの基本的構造として、組織成員たちと読者たちに推奨してしまうことになるのではないだろうか。

あくまでも、『プロレタリア的人間の論理』で明らかにしたところの、みずからをプロレタリアとして自覚した人間の価値意識、このプロレタリア的価値意識の貫徹として、現代社会に生きる人間の意識の働きは解明されなければならないのではないだろうか。

二〇二三年二月一日

〈12〉　ドイツ製戦車の供与に喜ぶ「革マル派」中央官僚派

「革マル派」中央官僚は、「ウクライナ軍・領土防衛隊がドイツ製の「レオパルト2」をはじめとする欧米製の戦車を獲得しようとしている」というように、欧米帝国主義国家権力者どもによる兵器の供与に欣喜雀躍している。しかも、彼らは、プーチンの意図を、「ウクライナの国家と民族を抹殺すること」にあると描くことに端的にしめされるように、資本家どもと労働者とを区別することなく、丸ごとのウクライナの国家と民族を防衛することを、みずからの価値意識としているのである。（「解放」最新号＝第二七五四号二〇二三年二月六日付）

彼らがこのようにウクライナ民族主義に転落しているのは、彼らの実存そのものが、丸ごとの日本人の立場にたつという「日本人」主義に陥没していることにもとづくのである。これは、彼らが、若者に「国家のために死ぬ」ことをすすめた田辺元に、心の奥底で心を奪われているからなのである。まさに、彼らが、ウクライナの労働者・人民がウクライナの国家と民族のために死ぬことを賛美し尻押しするのは、このことにもとづくのである。

このような腐敗をあらわにしている「革マル派」中央官僚派を革命的に解体しよう！

二〇二三年二月一日

〔13〕　ブルジョア国家と民族を至上の価値あるものとした者たちの心のよりどころ

半年ほど前に、「革マル派」中央官僚は、ウクライナの国家と民族を防衛するという・みずからの祖国防衛主義への転落を正当化するために、わが探究派を次のように揶揄したのであった。

「おまえたちは現実世界に生きてはいない。「国家ニハ支配階級ト被支配階級ガアリマス」「国家ト国家ノ戦争ニオイテハ労働者ハ国家ヲマモッテハイケマセン」「ソレハ祖国防衛主義トイウ誤リデス」といった二、三のテーゼのようなものだけを枠のようにアテがって、ウクライナ情勢を評論しているだけの俗物なのだ。」(「解放」第二七三一号二〇二二年八月一五日付)と。

彼らは、われわれの主張を、「国家ニハ支配階級ト被支配階級ガアリマス」というように揶揄することによって、ブルジョア国家を、支配階級と被支配階級の対立を出発点にして分析するというマルクス主義の原則を公然と否定したのであった。彼らは、みずからが、ブルジョア国家とブルジョア民族を、プロレタリアートよりも尊いもの、すなわち階級を超える至上の価値のあるものと信じていることを、公然と表明したのであった。

彼らがこのようにまで腐敗したのはなぜなのか、彼らはいったい何を考えているのか、彼らは何を信奉してマルクス主義を否定しえたのか、というように、私はずっと考えてきた。

いまや、わかった。彼らが心の底から信奉し心のよりどころとしているものがわかった。それは、『プロレタリア的人間の論理』の若きおのれから遠く離れて「日本人」主義となった晩年の黒田寛一の次の言葉であった。

「利潤追求を自己目的化したり投機にうつつをぬかしたりしている徒輩も、労働力商品としての自己存在についての自覚をもってはいない賃労働者も、階級の違いをこえて、日本人らしさを喪失しているのではないか。」(『実践と場所　第一巻』五五四頁)

これを書いた黒田は、すでに階級の違いをこえる立場にたっているのであり、この彼にとっては、賃労働者が労働力商品としての自覚をもっていないことよりも、資本家も賃労働者もが日本人らしさを喪失していることのほうが、重要なのである。

『実践と場所』を書いた晩年の黒田は、「日本人らしさ」を、プロレタリア的実存を超えて、至上の価値のあるものとして希求したのだ、といわなければならない。

「革マル派」中央官僚派の官僚とこれにつき従った組織成員たちは、この晩年の黒田寛一をおのれの実存的支柱としたのである。彼らは、この晩年の黒田寛一を神として崇め奉ったのである。

彼らが、ブルジョア国家とブルジョア民族をもっとも尊いものとし、マルクス主義を公然と否定した最新の根拠はここにある、といわなければならない。

われわれは、「革マル派」中央官僚派の組織そのものを革命的に解体し、一人ひとりの組織成員を、「晩年の黒田」教の妄想と呪縛から解き放つのでなければならない。

二〇二三年二月三日

〔14〕　祖霊崇拝は日本人の固有のメンタリティなのか

晩年の黒田寛一は、アニミズムやシャーマニズムや祖霊崇拝を、古代からの日本人のメンタリティであり、「道徳的価値意識」をなす、と説いたのであった（『実践と場所　第三巻』二一一頁）。そして、日本人に社会的に共通な価値意識としてのこのようなものを「自明の前提として」「社会的存在の意識の働き」を把握すべきである、としたのであった（同前、二〇五頁）。

ここでは、祖霊崇拝をとりあげる。

古代からの日本人のメンタリティの一つが祖霊崇拝である、と説くのを読むと、私は嫌な思いがする。日本人は、先祖の霊をうやまう民族であり、日本人の血は太古の昔から脈々とうけつがれてきたのであり、そのような古《いにしえ》からの優れた人種なのだ、と説いている、と私は感じるからである。しかも、実際に、『実践と場所』全三巻の、晩年の黒田の文面から匂ってくるものは、そのようなものなのである。

祖霊崇拝というかぎりでは、世界中のどこにでもあるものであり、かつ、あったものである。日本人に固有なものでは何らない。しかも、世界史的存在であるプロレタリアにとっては、みずからが強いられている資本制的に疎外された労働に感じる苦痛と自己喪失と怒りからするならば、それは、とるに足りないものである。

祖霊崇拝という意識が大きな意味をもつのは、戦前に、労働者と農民が兵士として駆りだされるのに信じこまされた神話である、と私は感じる。西暦紀元よりも日本の暦の紀元を六六〇年も早くするために「皇紀」というものがつくられ、小学生に、国定歴史教科書で教えられたのである。この「皇紀」からすれば、神武天皇が何百年も生きたことになるのである。

日本人のメンタリティをなす祖霊崇拝といわれると、このような神武天皇を拝むことというように、私は感じるのである。それは、私にとっては、中国に侵略し数多の中国人を殺すとともに、日本の労働者・農民にみずからの命を国家に捧げることを強制するために、日本の支配階級が人びとに注入したイデオロギーなのである。

日本人のメンタリティをなすところの、日本人に社会的に共通な価値意識は何か、と問題をたてることそれ自体がおかしいのである。そんなものはありえない。ブルジョア的人間のもつ「日本人」という意識は、日本の支配階級がみずからの特殊諸利害を「一般的なもの」として社会的に妥当させ通用させるためにつくりだした虚偽のイデオロギーの・人びとの内面への貫徹の産物なのである。

われわれは、日本人として共通にもっているのにふさわしい価値意識を貫徹して、自分の頭を働かせ、認識し思惟し自分の実践の指針を解明して、実践するのではない。われわれは、プロレタリアとしてのおのれの価値意識を貫徹して、自分の頭を働かせ、認識し思惟し自分の実践の指針を解明し、実践するのである。まさに、そうでなければならない。

われわれは、晩年の黒田が希求した「日本人としてのメンタリティ」「日本人らしさ」の虚構を明らかにし、『プロレタリア的人間の論理』の若き黒田寛一を、黒田のプロレタリア的実存を、〈いま・ここ〉に、よみがえらせるのでなければならない。

二〇二三年二月三日

〈15〉欧米製の兵器を手に国家と民族に身を捧げるウクライナの兵士を美しく感じる「革マル派」中央官僚の心に去来するもの

「革マル派」中央官僚は、欧米帝国主義権力者どもによるゼレンスキー政権への新たな兵器の供与に喜々としている。「ウクライナ軍・領土防衛隊がドイツ製の「レオパルト2」をはじめとする欧米製の戦車を獲得しようとしている」というように。（「解放」第二七五四号）

欣喜雀躍する彼らは、欧米製の兵器を手にしてロシア軍と戦って戦死するウクライナの兵士を、侵略者と戦い国家と民族のために身を捧げたものとして、美しく感じるのであろう。

彼らの心には、晩年の黒田寛一が自撰歌集の表題として表出した「日本よ！」という叫びが、「ウクライナよ！」という叫びとして、こだましているのであろう。（『日本よ！』こぶし書房、二〇〇六年刊）

彼らの心には、この本のカバーの自撰歌にほとばしり出た晩年の黒田寛一の日本人としての精神が、おのれの実存を駆りたてるものとして湧きあがっているのであろう。

その歌が、いまやウクライナの地に降りたち来たったものとして、「革マル派」中央官僚の面々の心に響きわたっているのではないだろうか。そして、この響きに浸ることこそが、黒田寛一の霊を神として崇め奉ることだ、と彼らは感じているのではないだろうか。

それとともに、彼らの心には、小学生の黒田寛一が抱いた情感が、ウクライナ兵士の死を前にしたおのれの情感そのものとして、ほとばしり出ているのではないだろうか。

「革マル派」中央官僚の面々にとって、ウクライナの兵士の死は、すなわち軍服を着た労働者と農民の死は、国家と民族に身を捧げたものとして美しいのである。彼らが、米欧の帝国主義国家権力者どもがゼレンスキー政権にもっと兵器を供与してくれることを希《こいねが》い、ゼレンスキーらの支配階級の国家を防衛するためにウクライナの労働者・人民がその兵器を手にして戦うべきことを熱烈に叫ぶ根拠は、ここにある。

二〇二三年二月三日

〔16〕黒田寛一著『実践と場所』全三巻を読み検討し考えてほしい

わが仲間たちおよびこの文章を読む皆さんに、私は訴える。

新たな反スターリン主義組織を創造し建設していくために、そして労働者階級を階級的に組織していくために、黒田寛一著『実践と場所』全三巻を読み検討し考えてほしい。これは、われわれの焦眉の課題である。

私は、いま、『第三巻』の二〇五頁、および、二一〇〜二一一頁を引用して検討してきた。これを読んで何を・どう感じたであろうか。引用した文章には、われわれが学んだところの、われわれの知っている黒田とは異なる黒田がいる。そうは思わないだろうか。

『第三巻』をもっている人は、その二〇五頁、および、二一〇～二一一頁を読んでほしい。この本をもっていない人は、私がそこをすでに引用したので、それを読んでほしい。

『第三巻』をすでに読んだ人も、本をもっていず・これからはじめて読むという人も、私が指摘したところから、私といっしょに読み、いっしょに頭を回していってほしい。そして、そうだ、とか、その読み方はちがう、とかと考えていってほしい。

晩年の黒田寛一はどうなってしまったのか、ということは、われわれにとって重大な問題である。

二〇二三年二月四日

〈17〉 われわれはこの〈いま・ここ〉を変革するために、いまを生きる

ひとは誰でもが自分の死を感じ怖れ考える。われわれは、この自分の死を絶対的なものから存在論的に基礎づけようとするのか、それとも、怖れを抱きながら、この今そのものに、この現実とこのおのれそのものに、苦しみ、ただひたすらにこれを変革しようと意志するのか、ということを選びとらなければならない。

私は以前に――それ自体、黒田寛一の『実践と場所』をのりこえるために、であるが――「われわれは、いまを生きる。」という文を冒頭に書き、これを出発点にして論述した。いま、これではだめだ、と感じた。たとえ、哲学的人間論のレベルにおいて論じるのだとしても、われわれは、〈いま・ここ〉を、この現実とこのおのれを変革するために、いまを生きる、でなければならない、と私は感じたのである。これは、私自身の出発点の再確認ではある。この出発点を、「いまを生きる」というように、一切、抽象化してはならない、と私は感じたのである。

もちろん、この出発点は、「フォイエルバッハ・テーゼ」のマルクスの、そしてこれをわがものとしハンガリー動乱を主体的にうけとめた若き黒田寛一の、出発点である。私は、それをおのれのものとしたのである。

二〇二三年二月七日

〈18〉　人間主体の意識の働きの解明が、子どもの規範意識の形成の分析になっている

これまでの検討をとおして、晩年の黒田寛一は『実践と場所』において、日本人としてもつ社会的に共通な価値意識を自明の前提として、社会的人間の意識の働きを把握する、というように理論的に追求しているのだ、ということがわかった。

そうすると、この黒田は、意識の働きそのものをどのように論じているのか、ということが、私には気になった。

そこで、「意識作用」という節の冒頭部分（とりわけ冒頭部分がどう展開されているのかが問題となるので）を見た。私は、以前に何度か読んだときに、この頁には、線を引いてもいなければ、短冊形に切った紙もはさんでいなかった。着目していなかった、ということである。

今回、そこを読んで、私は、ウーンとうなった。そこには次のように書かれてあったのである。

「社会的人間は、みずからを決定した場所を決定しかえす「人—間」的＝生産的実践を基礎にして、場所の諸関係を内面化しながら実践主体として自己形成するのであり、みずからの諸実践を意味づけることによって、自己の個別的意識を同時に社会的に共通な価値意識として形成するのである。社会的場所を逆規定しながら生きようとする意志をかため熱情にみなぎっていることのゆえに、この「個別的＝社会的」意識は、つねに具体的には、みずからにとって価値あるものを求める「人—間」的エロースにあふれたものとなる。実践の社会的場所に現成的に既在する社会的諸規範を、言語的諸規範をふくめてのそれを、日常生活の行為的経験と実践的体験をつうじて体得することのゆえに、個別的意識は同時に規範意識となり、言語的表現についての社会的約束ごとの経験的習得にもとづいて共通的価値意識として形成されるのである。こうして「個別的＝社会的」意識は、情意につらぬかれた「意識された有（存在）」となると同時に、「意識する有（存在）」として不断に形づくられてゆくのである。」（『実践と場所　第三巻』三三三頁）

ここには、「場所の諸関係を内面化しながら実践主体として自己形成する」、「自己の個別的意識を同時に社会的に共通な価値意識として形成する」、というように書いてある。

こりゃ、なんだ。

ここで論じられているは、子どもが自己をとりまく諸関係を内面化して自己を形成するという問題、すなわち、赤ん坊というかたちで生まれた人間が大人へと成長するというように自己の意識を同時に社会的に共通な価値意識として形成するという問題ではないか。これは、実践＝認識主体としてのわれわれが、おのれの物質的対象を変革するために、おのれの意志を形成する、という・われわれ人間主体の意識の働きを明らかにしているものではない。

「現成的に既在する社会的諸規範を……体得する」とか「言語的表現についての社会的約束ごとの経験的習得にもとづいて共通的価値意識として形成される」とかというのは、まさにそうである。この表現からつたわってくるように、これは、子どもが社会的な道徳的規範を体得したり、言葉を習得したりして、こういうことをやってはいけない・こういうことをやらなければならない、というような価値意識を形成する、ということをさすのだ、ということがよくわかる。

私は、以前にここを読んだときには、ここでは、子どもの成長、および、大人になってからも・まともな大人として自己を形成する、という人間的成長の問題＝個体発生の問題が論じられている、というように理解したようだ。私は、書かれてあるままに素直に読んだ、ということである。それが、いま、晩年の黒田は、社会的人間の意識の働きそのものをどのように論じているのか、ということを見るためにここを読んだことからして、私は、これはなんだ、と感じたのである。

このように考えて、この頁をはじめから読みかえすと、最初の行の「みずからを決定した場所を決定しかえす」というのも「「人─間」的＝生産的実践」という言葉の修飾句として書かれているにすぎない。「社会的人間は」という主語は、「場所を決定しかえす」にかかるのではなく、あくまでも「自己形成する」「形成する」にかかるのである。このパラグラフの展開は、一貫して、自己形成論＝自己成長論＝社会的諸規範の体得論なのである。これは、われわれは、みずからを決定した場所を決定しかえすために、われわれの実践の指針たる目的と手段の体系を構想する、という・われわれの意識の働きの解明ではないのである。

これでは、われわれは、実践の社会的場所たる日本社会に現成的に既在する社会的諸規範をなすブルジョア的諸規範を体得して、まともなブルジョア的人間となる、日本人らしい日本人となる、ということしかでてこないのである。いや、これは、われわれが日本人らしい日本人となるための解明なのである。これは、プロレタリアたるわれわれが、この資本制的現実を変革するために、実践的＝場所的立場にたっておのれの意志を形成する、という・われわれの意識の働きを解明するものでは、決してないのである。たとえ社会の本質論ないし哲学的人間論のレベルにおいて論じるのだとしても、これは、主客の適応矛盾を解決するために、われわれ人間主体は、客体たる感性的対象を変革するためのおのれの実践の指針を構想する、という・意識作用を明らかにするものではないのである。

ここでは、場所の諸関係を内面化するとか、社会的諸規範を体得するとかというように論じられており、われわれが変革する対象をなす物質的現実そのものは、措定されていないのである。他面から言えば、「社会的場所を逆規定しながら生きようとする意志をかため熱情にみなぎっている」という・この意志と熱情は、この物質的現実を変革するという意志と熱情ではなく、ただ生きるというだけの意志と熱情のようなのである。

そうすると、この『第三巻』の冒頭の「場所的立場」はどのように論じられているのか、ということが、私は心配になってきた。

二〇二三年二月一〇日

三　ソ連崩壊に黒田寛一はどのように対決したのか

〔1〕ソ連の崩壊の根拠をえぐりだす意欲の欠如

では、晩年の黒田寛一は『実践と場所　第三巻』の最初の節である「場所的立場」の冒頭部分で、どのように論述しているのであろうか。

そこには次のように書かれてあった。

「二十一世紀の開けをまえにしているわれわれが今おかれ編みこまれている世界史的現実は、さまざまな喧騒と硝煙と騒音につつまれ、生起した出来事を次々に過去におくりこみつつ、定かではない明日にむかって、ただいたずらに猛スピードで惰性的に突進している「魂のない世界」である。

近代科学主義・合理主義・効率主義の成果である技術文明の僅か約三百年ほどの歴史は、ブルジョア的市民生活を間歇的に向上させ、資本制商品経済の諸矛盾をあらゆる領域において熟成させるとともに、帝国主義的殺戮戦によって、またスターリン主義・ソ連邦と帝国主義列強との悪循環的軍備拡張競争によって、実に夥しい血が流された過程であった。しかも、レーニンとボルシェビキが思いえがいた「戦争と革命の時代」は、革命ロシアの変質の必然的帰結として現出したスターリン型社会主義の世紀の崩壊のゆえに終わりを告げた。こうすることによって、新たな脱イデオロギーの時代に現代世界は突入した。現代物質文明が合理主義・効率万能主義・機能主義につらぬかれているかぎり、人びとは、ひたすら独占ブルジョア階級の生産性向上にまきこまれ市民生活の効率性のなかに埋没することを常態化し、いまなお諸国家の軍事力増強競争によって辛くも維持されているにすぎない「平和」にひたり、麻痺した感覚で日々忙しく生きることを強いられている。これが現代人の姿なのである。」（一〇頁）

私は、これのなかの現代ソ連邦の崩壊についてのべた部分に、黒田寛一のうちに湧きたつものがないことを感じた。

「革命ロシアの変質の必然的帰結として現出した」という句は、「スターリン型社会主義」にかかるのか、すなわち「革命ロシアの変質の必然的帰結として現出したスターリン型社会主義、その世紀の崩壊」ということなのか、それとも、その句が「世紀の崩壊」にかかるのか、すなわち「革命ロシアの変質の必然的帰結として現出した、スターリン型社会主義の世紀の崩壊」ということなのか、このどちらなのかはよくわからない。

いずれであったとしても、黒田は冷めている。「必然的帰結として」というのでは、生みだされた事態を、自分の既知の知識から存在論的に説明しているだけのことである。黒田のこの態度は、現代ソ連邦の崩壊という・自分が直面した事態に、身をのりだし・眼をギラギラさせ・内側から湧きあがるものに駆られて、この事態が生みだされたのはなぜなのか、その根源は何か、というように、下向的に頭をまわす、というものではないのである。

「必然的帰結として」と言ったのでは、ここからは、自己のうちに何ものをも生みだすことはできない。自分はすべてわかっている、という地平にたっているからである。

だが、はたして、黒田はそうであったのか。私には疑問がわく。むしろ、黒田は、現代ソ連邦の崩壊という事態に直面して、たじろぎ、頭がまわらなくなってしまったのではないだろうか。その自己に納得させるために、直面した事態を既知の知識から「必然的帰結として」というように説明したのではないだろうか。

内容上から見るならば、「レーニンとボルシェビキが思いえがいた「戦争と革命の時代」は、スターリン型社会主義の世紀の崩壊のゆえに終りを告げた」、という論述はおかしい。これでは、レーニンとボルシェビキが思いえがいた「戦争と革命の時代」は、スターリン型社会主義を基礎にして切り拓かれるのだ、というように、この時点で黒田は考えたことになる。

しかも、「戦争と革命の時代」というのはレーニンとボルシェビキが思いえがいたものであるにもかかわらず、それが終りを告げた、と論じたのでは、彼らの思いえがいたものが、彼らが死んだあとも実在していて、それがいまや終りを告げたということになる。これは、きわめておかしげな文である。

この文が意味をもつものとするためには、「戦争と革命の時代」という・レーニンとボルシェビキが思いえがいた展望を黒田自身がもっていたのであり、この展望が終りを告げた、と黒田は感じたのだ、としなければならない。このように理解するならば、黒田は、自分のもっていた展望が、スターリン型社会主義の世紀の崩壊のゆえに終りを告げた、と感じたのだ、ということになる。これは、きわめておかしげな感じ方である。「戦争と革命の時代」というみずからの展望を、われわれは、スターリン型社会主義を基礎にして切り拓くのだ、というように黒田は考えていた、ということになるからである。

こんな話ではない。レーニンとボルシェビキが思いえがいた「戦争と革命の時代」を切り拓くという展望をわれわれがみずからのものとし、この展望を基準として言うのであるとするならば、スターリンは革命ロシアを変質させることによって、すなわちプロレタリア世界革命の立場を放棄することによって、この展望を断ち切ったのである。まさにこのゆえにこそ、われわれは、スターリン主義をその根底からのりこえるためにイデオロギー的=組織的にたたかってきたのであり、いままさにたたかっているのである。そうではないのであろうか。

その時代は、「スターリン型社会主義の世紀の崩壊のゆえに終りを告げた」、などというように、ただ対象的に確認している話ではない。

黒田はその晩年に、スターリン主義への言及を避けた『実践と場所』という書を書くのではなく、ソ連の自己解体の根拠をえぐりだし、破産したスターリン主義をその根底からのりこえていくための書を書くべきだったのではないだろうか。これこそが、一九五六年のハンガリー動乱を共産主義者として主体的にうけとめスターリン主義から決別することを決意した黒田寛一のなすべきことであったのではないだろうか。私はこう思う。

黒田は、現代ソ連邦の崩壊という事態に直面して、骨が折れてしまったのではないだろうか。黒田は、ゴルバチョフにたいしては、あれほど激しく弾劾の諸文書を浴びせかけたのに、現にソ連が崩壊すると、何も書かなくなった。現出したものを、「亡国ロシア」と呼び、これを「擬似資本主義」と規定しただけであった。

このことが、私のうちに思い起こされてきた。くりかえして言うのであるが、この『実践と場所』全三巻には、ソ連の崩壊の根拠をえぐる分析もなければ、破産したスターリン主義への批判を今日的にほりさげる論述もない。

私が右に引用した文章では、「こうすることによって、新たな脱イデオロギーの時代に現代世界は突入した」、というように、すぐに論点は移動させられ、プロレタリア階級闘争にかんする言及は何もない。このページの締めくくりは「現代人の姿」であって、「プロレタリアの姿」ではない。

もはや、この黒田は、この大地にしっかりと足をふんまえ・場所的立場にたっているのではなく、この場所から逃げている。黒田は、自分の内にこもってしまった。

私が、いま、『実践と場所　第三巻』の冒頭のページに見たのは、これである。

二〇二三年二月一二日

〔2〕 二〇一七年「解放」新年号の展開は、晩年の黒田寛一の思考法の猿真似であった！

『実践と場所　第三巻』の冒頭に晩年の黒田寛一が書いた「必然的帰結として現出した」という表現、この表現にみられる下向分析的思考法の欠如を問題にしたとき、私は、以前にも同じようなことを書いたことを思い起こした。それは、二〇一七年の「解放」新年号への批判であった。

その新年号には次のように書かれてあった。

「全世界の労働者階級の砦たるロシアのプロレタリア国家がスターリン主義者によって簒奪され、このゆえに必然的に崩壊した。まさにこのゆえに、……」、と。

これは、その表現形式とそこにつらぬかれている思考法という点からいえば、晩年の黒田寛一の次の展開の猿真似である、ということが今回わかった。

黒田のその展開。

「革命ロシアの変質の必然的帰結として現出した……。こうすることによって、……」（『実践と場所　第三巻』一〇頁）。

われわれは、現代ソ連邦の崩壊というこの事態に対決し、この崩壊の根拠は何か、というように、下向的に頭をまわすことが絶対に必要である、と私は考えるのである。

二〇二三年二月一三日

〔3〕「戦争と革命の時代は、ソ連の崩壊のゆえに終りを告げた」とは⁈

ここでは、イメージをわかせるために、ざっくばらんな書き方をする。

晩年の黒田寛一は、『実践と場所　第三巻』の冒頭に、「「戦争と革命の時代」は、……スターリン型社会主義の世紀の崩壊のゆえに終りを告げた」(一〇頁)、と書いた。

これが、私にはなかなか理解できない。

「戦争と革命の時代は、終りを告げた」ということなのだから、黒田の内面は、ものすごい落胆と展望喪失だった、ということになる。

この文の意味は次のものであるといえる。——これまでは、たとえスターリン主義的にゆがんでいたのであれ、スターリン型社会主義であるソ連と、帝国主義各国におけるスターリン主義者の党およびその運動が存在していたことのゆえに、現代は戦争と革命の時代であったが、いまや、ソ連が崩壊し、各国のスターリン主義者の党と運動が壊滅したことのゆえに、現代は戦争と革命の時代でなくなった、と。

これは、ソ連と国際スターリン主義運動の存在にものすごく期待しているものであり、それにものすごく依拠している感覚である。

この感覚はおかしいのではないだろうか。

ロシア革命によって、プロレタリア世界革命の完遂への過渡期は切り拓かれたのであったが、ソ連と国際共産主義運動のスターリン主義的変質によってこの過渡期は固定化された。反スターリン主義のイデオロギーと世界党と運動を創造することなしには、プロレタリア世界革命を実現することはできないのである。

ソ連の崩壊は、「世紀の大逆転」とはいえるけれども、現代はプロレタリア世界革命の完遂への過渡期でなくなったわけではない。その過渡期が固定化されたままである、といえる。

反スターリン主義のイデオロギーと世界党と運動を創造することなしには、プロレタリア世界革命を実現することはできない、ということには何のかわりもないのである。一切はわれわれにかかっているのである。

黒田寛一は、スターリン主義者（や社会民主主義者）の指導する労働運動が存在することを前提として、組織現実論を、なかんずく「のりこえの論理」を創造し解明したのであろうか。それを前提としているかぎり、ソ連の崩壊とこれに規定された各国でのスターリン主義のイデオロギーと党と運動の壊滅は、展望喪失をもたらすことになる。

私は、わが探究派での内部論議を基礎にして、階級闘争論という新たな理論領域を切り拓くべきことを提起した。われわれは、反動的な労働組合たる「連合」およびその傘下の単産において、わが仲間が単組や支部の執行部を掌握してどのように運動を組織するのか、その指針および諸活動をどのように解明するのか、ということを明らかにしなければならないからであり、その解明に組織現実論および労働運動論をどのように適用するのかということの独自的解明が必要となるからである。労働組合のない職場においてわが仲間が職場闘争を――さらにはわが仲間が地域での闘いを――くりひろげるための指針および諸活動を、われわれはどのように解明するのか、ということにかんしても同様である。

かつて、このようなことがらをめぐって相互にねりあわせるかたちで、ついに同志黒田とは論議することができなかった、という思いに、私は駆られるのである。

二〇二三年二月一三日

〔4〕 晩年の黒田寛一がもえたぎらせている変革的意志とは？

『実践と場所　第三巻』の「場所的立場」の冒頭の部分を読むことをとおして、これを書いた黒田は、ソ連が崩壊した根拠をえぐりだす意欲をもやしていないのであり、これは、彼が、生起した現実に対決するという立場にたっていないことにもとづく、ということがわかった。

そうすると、この黒田がもえたぎらせているという変革的意志とはどういうものなのか、ということが、私は気になってきた。

以前に「自己変革のない価値意識の形成」という文章において、私が「ここで黒田は、「漆黒の世界を内観しつつ、苦悩しながら変革的意志をもえたぎらせているこの私」というように、おのれの烈々たる変革の意志を溶出させ表明している。彼は、まさに、おのれを語っている」、と書いたところのものが、それである。この変革的意志とはどんなものなのか、ということである。

これをつかみとるためには、「漆黒の世界を内観しつつ」の前に黒田が何と書いていたのか、ということを見ることが必要となる。

黒田は次のように書いていた。

「《いま・ここ》において音を見つつ聞《か》ぎ、匂を聞き見るとともに味わい触れ、漆黒の世界を内観しつつ、苦悩しながら変革的意志をもえたぎらせているこの私という実践主体、この社会的＝価値的意識を起点にすることによってのみ、人間存在に固有な社会的意識の価値性あるいは価値的意識は論じうる、というように私は考える。」（二〇五頁）

この論述では、《いま・ここ》において、黒田が、見つつ聞《か》ぐのは音であり、聞き見るのは匂いであり、自分は漆黒の世界を内観している、ということなのである。この論述では、音をたてるところのものはなく、匂を発するところのものはなく、味わい触れる感性的対象はなく、そして、黒田の内的な漆黒の世界を呼び起こす外的世界はないのである。

ここでは、黒田が面々相対している感性的対象＝外的世界は措定されていないのである。黒田がそれを実践的に変革するために対決しているところの物質的現実は、措定されてはいないのである。

ここで黒田が「苦悩しながら変革的意志をもえたぎらせているこの私」と言うところの変革的意志とは、変革する物質的対象のない変革的意志なのであり、この物質的現実を変革するぞ、という変革の意志ではないところの変革的意志なのである。それは、自分の感覚を働かせ、自分の内的世界の苦悩に前向きにたちむかう、という変革的意志、すなわち、自分は生きるぞ、という変革的意志なのである。

この部分を読み合わせて論議した・わが仲間は言った。「この「変革的意志」の「的」は、「のような」というような意味ですね」、と。おのれが変革すべき物質的対象の措定されていない「変革的意志」とは、まさにそのようなものなのである。

二〇二三年二月一二日

〔5〕自己の体験的記憶の肯定的貫徹

では、晩年の黒田は、われわれがおのれの感性的対象をどのようにして認識する、というように論じているのであろうか。

『実践と場所　第三巻』において、次のように論述されている。

「社会的人間の個別的意識が同時に社会的に共通な価値性を帯びるのは、言語的表現に媒介された「人―間」的実践と、これにもとづく意味づけられた体験的イメージ記憶を根幹として、人間意識が形成されることに由来するのである。身体的・動作的・状景的なイメージ記憶が、知的記憶と相互浸透しながら無―意識化されて沈殿したもの、これが価値意識の非対象面の対象面を形づくるからなのである。この非対象（面）的対象面は、言語的表現についての規範をふくむ社会的行為諸規範の内在化によるその無―意識化からなるのであるが、記憶され沈殿した《内ー言語》を芯にして形づくられる。人間実践主体が、みずからのおいてある社会的場所（実践の場所）を感覚し認識するさいには、「個別的＝社会的」意識の非対象的対象面が、「何かについて・何かを――どのように」という問題意識および視点に突き動かされながら、価値意識の作用面として現前化し、感覚的映像にむすびついて、「何かについて・何かを」表象するのである。」（三三七頁）

これの二番目のパラグラフにおいて、黒田は、「人間主体が、みずからのおいてある社会的場所（実践の場所）を感覚し認識するさいには、」と論じているのであるが、この文の最後、すなわち述語は、「表象する」となっている。「表象する」とは、思い浮べることである。それは、人間実践主体がすでにおのれの内面にもっているものを思い浮かべることである。そうすると、人間実践主体がおのれの感性的対象を感覚することそのものは、どうなっているのだろう、という気が、私にはしてきたのである。

ここでは、「「何かについて・何かを」表象する」とされているのであり、この論述の前には、「「何かについて・何かを――どのように」という問題意識および視点」とされていたのだから、この「何かについて・何かを」というのは、明らかに、人間実践主体がすでにおのれの内面にもっていたものである。

その直前に、「感覚的映像にむすびついて」と書かれていることからすれば、この「感覚的映像」が、外的世界が人間実践主体の内面に映じて生みだされたところの「感覚的映像」ということなのかもしれない。たとえそうであったとしても、人間実践主体がおのれの感性的対象を感覚する、ということそのものは論じられてはいないのである。

このことについては、このように確認し念頭におく、ということにとどめるとして、私がもっと大きな問題と感じたのは次のことである。

すなわち、「「個別的＝社会的」意識の非対象的対象面が、……価値意識の作用面として現前化し」、とされていることである。

ここでは、人間実践主体の意識の作用面を問題にしているにもかかわらず、主客の適応矛盾を解決する、という人間実践主体の意欲・発条が、すなわち、おのれが面々相対している感性的対象＝物質的現実を変革するぞ、という人間実践主体の変革的実践の意志が、明らかにされていないのである。われわれは、おのれの対象を認識したうえで、この対象を変革するという意欲をもつのではない。われわれは、主客の適応矛盾を解決する・すなわち・おのれの対象を変革するという意欲にもえて、この対象を認識するのである。われわれは、被限定を能限定に転じる・われわれの実践の発条を、われわれの出発点とするのである。

たとえ、私がいま、「……」というかたちで省略したところに、「「何かについて・何かを――どのように」という問題意識および視点に突き動かされながら」ということが書かれてあるのだとしても、われわれにこの「問題意識および視点」を呼び起こすところの・われわれのうちにもえるものが明らかにされていないのである。

「価値意識の作用面として現前化」する、とされているところの「「個別的＝社会的」意識の非対象的対象面」すなわち「価値意識の非対象面の対象面」とは、私が引用したなかの一番目のパラグラフにおいて、「体験的イメージ記憶を根幹として、」「身体的・動作的・状景的なイメージ記憶が、知的記憶と相互浸透しながら無―意識化されて沈殿したもの」というように規定されているところのものである。ようするに、それは、人間実践主体の内面に無―意識化されて沈殿したところの記憶内容である。こんなものをおのれの価値意識の作用面とするのであるかぎり、そのようにした人間実践主体には、おのれが面々相対しているる物質的現実を変革する、という実践の意欲と発条が生みだされることはない。その主体は、おのれの物質的対象とおのれ自身に肯定的に即するだけとなる。それは、幼少の頃のおのれの体験的記憶と、勉学に励んだときの知的記憶とを、ただ現代のおのれの内面に呼び起こすだけのこととなってしまうのである。

まさに、逆でなければならない。われわれは、おのれが直面している物質的現実を変革するために、そしてこの現実を変革しうる主体へと自己を変革するために、この変革の意志にもえて、瞬時に、おのれの内面に無―意識化されて沈殿している一切の記憶内容をおのれのうちに呼び起こし・自己否定の立場にたって省みつつ、省みたところのものをおのれの対象とおのれ自身に貫徹するのでなければならない。こうすることによって、われわれは、おのれの物質的対象とおのれ自身を自己否定的に感覚することができるのである。

たしかに、黒田は、二ページにわたる一連の論述の最後に次のように書いてはいる。しかし、それは付け加えでしかない。それは、私がいま検討してきた・晩年の黒田の独自的な理論的追求とその成果にとってては外的な、昔取った杵柄《きねづか》にすぎないからである。

黒田が書いたのは次のものである。

「行為主体の価値意識の非対象的対象面が作用面となって、肯定的あるいは否定的に感覚するのであり、ここにおいて意識の直接性は客体面（O′）と主体面（S′）とに分割され、それとともにこの両面は浸透しあう。感覚するさいの否定的肯定または肯定的否定という性格は、感覚し認識する行為主体の立場によって基本的には決定される。変革的実践の立場が欠落しているかぎり、現実肯定的に感覚することになる。このようなばあいには、問題意識も分析視角も定かでないのが常である。いいかえれば、おのれのおいてある場所にたいして否定的に対峙するという実践的立場にたつか否かによって、感覚することは基本的に決定されるのであり、否定的立場にたつことは、内発的意欲と情動に決定づけられてこそ可能になるのである。」(三三八頁)

この展開が昔の腕前の発揮であるにすぎないのは、それが、否定的に感覚することと肯定的に感覚することとの、したがって実践的立場にたつことと実践的立場にたたないこととの対比論になっているからである。そして、そうなるのは、たとえ「否定的立場にたつことは、内発的意欲と情動に決定づけられてこそ可能になる」、ということが言われたとしても、われわれがみずからのうちに内発的意欲と情動を湧きあがらせるゆえんが何ら明らかにされていないからである。すなわち、主客の物質的対立を措定し、われわれがこの主客の適応矛盾を解決するためにおのれのうちに内発的意欲と情動を湧きあがらせる、ということを出発点にして、『実践と場所』の黒田は論じてはいないからである。

この一句を一連の論述の最後の最後に書いた、ということは、晩年の黒田を象徴するものである、と私は感じた。

二〇二三年二月一五日

〔6〕 対決する相手のいない体操の捻出は、晩年の黒田寛一の他在であった！

四年ほど前に、「革マル派」中央官僚は、「実践論を体得するために」と称して、対決する相手のいないところの・空手の型を思わせる図を描いて、この図のような体操を、下部組織成員にやらせたのであった。晩年の黒田寛一が『実践と場所』において展開している、われわれ実践主体の意識の働きの解明を検討することをとおして、このような体操をやらせた中央官僚は、晩年の黒田寛一の所産である、ということが、私はわかった。

晩年の黒田が論述した、われわれ実践主体の意識の働きの解明においては、その出発点において、主客の物質的対立が、すなわち、われわれ実践主体がおのれの対象たる客体に対決するということが、措定されていないのだからである。われわれは対象的現実を変革するぞ、という・われわれの変革の意志が明らかにされていないのだからである。

一九五六年のハンガリー動乱を共産主義者として主体的にうけとめスターリン主義からの決別を決意した若き黒田寛一、彼のこの主体的営為を何らわがものとしていない「革マル派」中央官僚が『実践と場所』を一所懸命勉強して編みだしたものが、かの体操の図である、といわなければならない。

二〇二三年二月一七日

〔7〕ソ連の崩壊に対決し、スターリン主義への批判を徹底的にやっていく姿勢は？

私は、『実践と場所』の黒田寛一は、おのれの過去の記憶内容を場所的現実に肯定的に貫徹することを理論化したのだ、ということを明らかにした。

黒田の晩年に独自のこの理論は、彼が、ソ連の崩壊という事態にたじろぎ、それ以降はスターリン主義にかんしてほりさげて考察しなくなったおのれ自身を語ったものだ、と私は感じる。

黒田は、「レーニンとボルシェビキの思いえがいた「戦争と革命の時代」は、……スターリン型社会主義の世紀の崩壊のゆえに終りを告げた」（『実践と場所　第三巻』一〇頁）、と書いた。

ここで、崩壊したソ連のことを「スターリン型社会主義」と呼んだのは、黒田の実感なのかもしれないという気が、私はしてきた。ここを、「ソ連」としたのだとしても、あるいは「スターリン主義政治経済体制」としたのだとしても、「世紀の崩壊」とするわけにはいかない。「世紀の」を取っ払ったところの・たんなる「崩壊」としないことには、表現としてそぐわない。たとえ、「ソ連の崩壊は世紀の大逆転だ」ということは言えるとしても、そうである。

また、「ソ連の崩壊のゆえに」あるいは「スターリン主義政治経済体制の崩壊のゆえに」としたのでは、レーニンとボルシェビキが思いえがいたところのものが終りを告げた、ということの理由としてはそぐはない。レーニンとボルシェビキが思いえがいたところのものは、すでに、スターリン派の勝利によって終りを告げたのだからである。まさに、われわれは、ハンガリー動乱を共産主義者として主体的にうけとめ反スターリン主義運動の創造を決意した黒田寛一の生みの苦しみをわがものとして追体験的につかみとり、このスターリン派の勝利とトロツキー派の敗北へと下向的に考察することを基礎にして、スターリン主義をその根底からのりこえるためにイデオロギー的＝組織的にたたかいぬいてきたのであり、たたかいぬいているのだからである。

「スターリン型社会主義」と表現した黒田寛一は、たとえスターリンによって歪曲されたのだとしても、レーニンとボルシェビキが思いえがいていたところの展望は営々とつづいていた、という感覚を抱いていたのではないだろうか。

この時点の黒田は、ソ連の崩壊という事態に真っ向から対決し、ソ連の崩壊の根拠をえぐりだし、これまで自分自身がやってきたスターリン主義への批判をのりこえて、スターリン主義への批判をさらに徹底的にやっていく、という立場と姿勢を喪失していたのではないか、と私は感じるのである。

ここで思い起されてきたのが、『現代における平和と革命』（こぶし書房、一九九六年刊）の「改版　あとがき」である。その冒頭に、忘れ去られてはならない三つの問題というものが挙げられている。

二〇二三年二月一五日

〔8〕　一九九六年の時点で、ソ連崩壊は忘れ去られてしまうようなものなのか

黒田寛一は、『現代における平和と革命』の「改版　あとがき」の冒頭に次のように書いている。これの執筆は一九九六年である。

「血ぬられた軍国日本の過去は、いまだ過去になってはいない。広島・長崎への原爆投下という犯罪とこれがもたらした惨禍もまた、そうである。

さらに、帝国主義国アメリカに対抗して、二〇世紀の歴史を動かしてきたソ連邦が、たとえ大統領ゴルバチョフとそのとりまき官僚どもの手によって崩壊させられたのだとしても、ソ連型社会主義＝スターリン主義の問題もまた、すでに過ぎ去った一つの出来事にかかわるものとして忘れ去られてよいというわけのものでもない。

たしかに、過去的場所において生起したもろもろの出来事は次々に歴史的省察の対象にくりこまれてゆきはする。「戦後五十年」という視点にたつかぎり、敗戦以降の歴史的過程は、いまや歴史的省察の新対象とみなされうるかも知れない。けれども、いま挙げた三つの問題は、たんなる歴史的省察の対象にされては決してならない。」（二七三頁）

私は、はじめてこれを読んだとき、エッと感じた。黒田にとって、ソ連の崩壊は、すでに、忘れ去られ

ることを心配するような問題になっているのか、忘れ去られてよいか否かも糞も、いままさに、その根拠は何か、ソ連崩壊の根拠は何か、というように、われわれが理論的にゴシゴシとほりさげていくべき問題ではないのか、と私は思ったのである。他の二つはもう何十年もたっていることがらである、この二つについては、忘れ去られてはならない、というのはわかる。しかし、ソ連崩壊からはまだ五年もたっていない、それをいっしょにして三つの問題というようにくるとは、いったいどういうことなのだろうか、それに、一九五六年のハンガリー動乱はここには出てこない、と。

この感覚は、このとき以来、私の頭の底に、重い鉛の塊のように沈みこんで残った。

いま、この感覚がよみがえってきたのである。

私は、二〇〇六年の初日から、ソ連が崩壊した根拠をえぐりだすための理論的作業を開始した。この私には、黒田は、スターリンによる農業の強制的集団化の問題を考察しないままにしている、と感じられた。黒田が当該の「あとがき」で、残された・われわれのなすべき課題として挙げている①〜⑨には、この問題はなかった。さらに、私は、いろいろとほりさげていくにつれて、スターリンによる粛清の問題をも黒田は考察していないままにしている、と感じられてきた。この問題も①〜⑨のなかにはなかった。

この二つの問題の考察を、おのれのなすべき課題としておのれに課さないのでは、ソ連が崩壊した根拠をえぐりだす意欲は決してわいてこない、と私は思う。いや、ソ連が崩壊したのはなぜなのか、その根源は何か、というように下向的に頭をまわしてこそ、この二つの問題が、おのれのなすべき課題として、自分自身にうかびあがってくるのだ、といえる。

二〇二三年二月一七日

〔9〕 スターリン主義批判において黒田寛一が残したままにしたもの

一九九一年のソ連崩壊のあとの一九九六年に、黒田寛一は書いた。

「帝国主義国アメリカに対抗して、二〇世紀の歴史を動かしてきたソ連邦が、たとえ大統領ゴルバチョフとそのとりまき官僚どもの手によって崩壊させられたのだとしても、ソ連型社会主義・スターリン主義の問題もまた、すでに過ぎ去った一つの出来事にかかわるものとして忘れ去られてよいというわけのものでもない。」と。

この言葉は、黒田が自分自身に言い聞かせているように、私には感じられる。いや、そのように言うよりも、この言葉には、ソ連型社会主義・スターリン主義への黒田の郷愁のようなものが、私には感じられる。あのソ連邦がゴルバチョフらによって崩壊させられて残念でならない、という黒田の思いがひしひしと私につたわってくるように、私には感じられるのである。

ソ連邦の崩壊とともに自分の反スターリン主義者としての人生は終わった、という思いが自分自身に津波のようにおしよせてくるのを、黒田は必死でこらえているのだ、と言えば、言い過ぎであろうか。

ソ連の崩壊によって黒田の背骨は折れた、というように、私はどうしても感じるのである。

『実践と場所』の展開の問題性をえぐりだしてきた二〇二三年二月の現時点にたって言えば、黒田がそうなった彼自身の主体的根拠は、スターリン主義への根底的な批判において自分自身がまだやっていないことがある、という自覚の欠如にある、この自己否定の欠如にある、と私は考える。

まだやっていないことは二つある。その一つは、スターリンによる農業の強制的集団化の問題の考察であり、もう一つは、スターリンによる粛清の問題の考察である。

第一の問題。農業の強制的集団化については、トロツキー自身がこれへの否定感がとぼしく、『裏切られた革命』などの諸著書において、この問題についてはほりさげて考察していないのである。黒田自身、「現代ソ連論の根本問題」という論文でも考察しないままにしてきた問題なのである。

私自身、この問題についてほりさげていくことをとおして、これは、戦時共産主義の時期においてソビエト政府が農民から穀物を徴発したことの反省にかかわってくること、そしてさらに、マルクスのヴェラ・ザスーリッチへの手紙（ロシアの農業共同体＝ミールについて書いてあるもの）のレーニンのうけとめにかかわってくることを自覚したのである。

第二の問題。スターリンによる粛清の現実については、黒田が『スターリン主義批判の基礎』を書いたときには、それほど明らかにされていなかった。黒田は、スターリンの個人崇拝の問題を、党組織そのものの問題としてうけとめ、共産主義者としての主体性の確立にかかわる問題としてほりさげるべきことを提起した。そのうえで、黒田は、さらに、後進国ロシアにおいては、近代的自我が未確立であるという問題へと下向したのである。

私は、この問題を考察することをとおして、黒田の最後の部分の下向的考察に疑問をもった。ロシアにおいては、骨のあるボルシェビキ党員（共産党員）はすべて、スターリンによって殺された（獄につなぎとめられつづけた党員もいた)。殺されていない共産党員がスターリン崇拝におちいった。西ヨーロッパ諸国の共産党員は、殺されていないのに、スターリン崇拝におちいった。近代的自我を確立していたという人間的土台の西ヨーロッパ諸国の共産党員よりも、近代的自我を確立していなかったという人間的土台のロシアの共産党員のほうが、共産主義者としてはよっぽど主体性をもっていたのではないか、と私は思ったのである。

ロシアの共産党員の共産主義者としての主体性は、その肉体もろともに、スターリンによって抹殺されたのではないか、ということである。

スターリンによる大粛清の現実がつぶさに明らかにされたうえにたっては、黒田にとっては、この問題の考察は、自分自身がまだ追求しえていない問題としてつきつけられたままとなったのではないか、と私は現時点で考えるのである。

これが、二つの問題にかんする私の問題意識である。

二〇二三年二月一九日

〈10〉「プロレタリア世界革命の完遂への過渡期」という時代認識が消えた!

黒田寛一が従来は主張していたところの「プロレタリア世界革命の完遂への過渡期」という時代認識が、

『実践と場所』や『現代における平和と革命』の「改版　あとがき」では消えた。「プロレタリア世界革命の実現」という表現もなくなった。この表現は、たんねんに探せばどこかにあるかもしれないが、少なくともほぼなくなった。

かつては次のようにふんだんに展開されていたのであった。

「現代はプロレタリア世界革命の完遂への歴史的過渡期にあるのだ。」(『現代における平和と革命』本文、こぶし書房、五九頁、傍点は原文。六五頁、七二頁などにも。――初版の現代思潮社版の発刊は一九五九年)

「一九一七年のロシア革命を結節点としてきりひらかれた世界革命への過渡期は、レーニン死後のソ連共産党とその路線の変質、一九三〇年代のスターリン・テルミドールを決定的な契機として完全にゆがめられた。しかも、かのヤルタ協定によって、地域的にも拡大されたスターリニスト国家群とアメリカを盟主とした帝国主義国家群との外的対立が生みだされただけでなく、同時にそれは固定化されさえしてきたのであった。」(『日本の反スターリン主義運動２』こぶし書房、一九六八年刊、三三二頁)

「プロレタリア世界革命の完遂という実践的立場と展望」(『現代における平和と革命』一四〇頁)。

「プロレタリア世界革命の実現というマルクス主義の原則」(同前、一四二頁)。

パトスにみちあふれたこのような展開は、『実践と場所』では、「レーニンとボルシェビキの思いえがいた「戦争と革命の時代」」というものにとって換えられ、しかも、それは「スターリン型社会主義の世紀の崩壊のゆえに終りを告げた」(第三巻、一〇頁)、と宣言されたのであった。

黒田は、自分自身のえがく時代認識ないし展望を何ら明らかにすることなく、たとえレーニンとボルシェビキの思いえがいたものを語るのだとしても、彼らがつねに強調していた「プロレタリア世界革命の展望」ではなく、「戦争と革命の時代」というような・どこかで戦争か革命かが起こっているということをあらわすだけの文言をとりだしてきて紹介し、その時代の終了を宣告したのである。

では、『現代における平和と革命』本文の黒田が、それをつらぬくべきことを熱烈に訴えていた「プロレタリア世界革命の実現というマルクス主義の原則」は、ソ連の崩壊という事態に直面した黒田の内面においてはどうなってしまったのであろうか。

ソ連の崩壊という事態に直面した黒田は、「プロレタリア世界革命の実現というマルクス主義の原則」をつらぬくべきことを、「プロレタリア世界革命の完遂という実践的立場」にたつべきことを、全世界のプロレタリアートに、よりいっそう力強く熱烈に訴えるべきであったのではないだろうか。

二〇二三年二月二〇日

〈11〉　コルホーズを「集団的所有形態」とする規定の踏襲

晩年の黒田寛一のスターリン主義批判の不徹底さをしめす文章が、『現代における平和と革命』の「改版あとがき」にある。

黒田は、残された課題の五番目の冒頭に次のように書いている。

「⑤「戦時共産主義」政策にかわってレーニンが採用したNEP(新経済政策)のもとに残存していた旧時代のもろもろの経済制度ならびにNEP期の価格制度と、生産諸手段の国家的および集団的の所有形態が形式上確立された時代の経済的構造ならびに「価格」制度――この両者は明白に区別されなければならない。」(二八七頁)

対照されている前者のNEP期とは一九二〇年代をさすのであるが、後者の「時代」とは、あとの展開において「スターリン時代の重工業化政策」(二八八頁)ということが言われていることと照らし合わせるならば、一九三〇年代をさす、と言える。

ここで問題としてとりあげるのは、「生産諸手段の国家的および集団的の所有形態が形式上確立された」というように論じられていることである。

ここに言う所有形態が「形式上確立された」という規定を、黒田のソ連論において見るのは、私はこの引用部分がはじめてである(私が見落としているものがあるかもしれないが、今回、ソ連論にかかわる黒田の全著書を調べなおすことはできなかった)。『経済建設論ノート』全四巻を書いたうえで、今回、この部分をあらためて読んで、私はおどろいた。

「形式上確立された」と書いたということは、黒田は、「実質上は確立されていない」という価値判断を下した、ということを意味する。革命ロシアの両者の所有形態にかんして、形式上確立されたが実質上は確立されていない、という価値判断を下すとは、いったいどういうことなのか。一九三六年のスターリン憲法の制定、すなわち、急速な重工業化を図った第二次五か年計画の完遂と農業の集団化の完了を確認しての・スターリンによる「社会主義の確立」の宣言は、スターリン主義政治経済体制が本質的にも現実的にも確立されたことを意味するのである（『経済建設論 第一巻 商品経済の廃絶』西田書店、二六九〜二七〇頁参照）。この体制の確立を、晩年の黒田はどのように分析しているのか、と私は思うのである。この体制のものすごい美化だ、と私は感じるのである。

二つの所有形態のうち、国家的所有形態は工業部門のそれをさし、集団的所有形態は農業部門のうちのコルホーズ形態をさす（ソホーズは国家的所有形態をなす）、と言える。

まず、前者から見ていく。

工業部門にかんしては、一九一八年に、ソビエト政府が諸企業の国有化を実現したのである。この国家的所有という形態はそのままであったうえで、諸企業を所有する国家が、ロシア革命によって樹立されたプロレタリアート独裁国家から、それの疎外形態をなすスターリン主義官僚専制国家へと、一九三〇年代に変質したのである。こうすることによって、スターリン主義官僚専制国家は、みずからが諸企業を所有していることを基礎にして、労働者たちから膨大な剰余労働を収奪するように――消費物資には多額の取引税を課すことをふくめて――国家経済計画を策定し、これを実施したのである。

このときの諸企業の生産諸手段の所有形態を「国家的所有が形式上確立された」ものと言ったのでは、右にみたような構造をなすかたちでの、スターリン主義官僚専制国家による労働者たちからの膨大な剰余労働の収奪をおおい隠してしまうものとなるのである。この国家が、生産諸手段を実質上でも形式上でも所有していることを基礎にして、この収奪を実現しているのである。もしも、それが、形式上の確立であるにすぎないのであるならば、あれほどまでの収奪を実施することはできないのである。生産諸手段の国家的所有が実質上では確立されていないことのゆえに、その間隙をぬって諸企業の経営官僚が労働者たちから剰余労働を収奪している、というような話ではないのである。もしも、そのような像を描いているのだとするならば、その国家はいまだなおプロレタリアート独裁国家だ、ということになってしまうのである。

次に後者の農業部門を見る。

黒田がここで書いている「集団的所有形態」とは、コルホーズの所有形態をさす、と言ってよい。彼は、ここで、「集団的所有形態」ということについて何ら概念的に規定していないのであるが、ソ連製の『経済学教科書』にみられるように、スターリン主義者がコルホーズの所有形態のことを「集団的所有形態」と呼んできたからであり、社会主義社会論を展開する論者たちは、伝統的にこの用語法を踏襲してきたからである。

だが、このように考えるならば、決定的な問題が生じる。

コルホーズは、スターリンが農民から穀物を徹底的に収奪するために編みだした形態なのであり、農業の強制的な集団化をつうじてつくりだした集団農場の形態なのである。「集団的所有形態」とは、農民からのこの収奪をおおい隠すためにスターリン主義者がひねりだした規定なのであり、用語なのである。すなわち、コルホーズはその構成員たちが集団で生産諸手段を所有しているものであり、彼らは何ら収奪されていない、というように見せかけるための規定なのであり用語なのであって、それは、スターリン主義的な虚偽のイデオロギーの言語的表現なのである。

晩年の黒田がこの用語をそのまま使ったということは、——これからいろいろと検討していくときであった一九六〇年前後であるならばともかく、――ソ連の崩壊という事態に直面した黒田が、新たな決意のもとにスターリン主義を徹底的に批判しつくす、という自己否定的な・実践的＝場所的立場にたたなかった、ということを端的にしめすものにほかならない。

事態はこうである。

ロシア一〇月革命の翌日、労働者・兵士代表ソビエト第二回ロシア大会は、「土地の私有権は永久に廃止される」と定めた「土地についての布告」を発した（農民の要望書をそのまま取り入れたレーニン執筆のこの布告には考察すべき大きな問題が孕まれているので、『革命ロシア経済建設の総括――最初の八か月』創造ブックス、七〇〜八〇頁およびそれ以下「蘇ったミール」の部分をぜひ読んでいただきたい）。この布告によって、土地は、樹立されたロシア・プロレタリアート独裁国家の所有となったのである。

一九三〇年代に、スターリンの指令のもとに、スターリン主義官僚専制国家として確立しつつあった国家は、農業を強制的に集団化し、つくりだされた個々のコルホーズに土地を使用することを認め、その生産物をそのコルホーズが所有するものとしたのである。このことからして、この国家が土地を所有し、個々のコルホーズがその土地を占有しているのだ、と言いうる。コンバインやトラクターなどの生産手段にかんしては、それを管理する国有の機械トラクター・ステーション（ＭＴＣ）が所有し、運転手つきでそれぞれのコルホーズに貸し出したのである。農具や種子はそれぞれのコルホーズの所有となった。

主要な生産諸手段を所有するこの国家は、それぞれのコルホーズに、生産された穀物（農産物を穀物に代表させて論じる）のうちの膨大な部分を国家に納入する義務――租税として意義をもつと理由づけしたそれ――を課したのであり、その国家買い付け価格は、穀物をその集積場に運ぶ費用のほうが多額になるほど低いものであった。それとともに、この国家は、MTCをつうじて、コンバインやトラクターなどの運転費として、大量の穀物を現物形態で、それぞれのコルホーズに支払わせた。コルホーズの農民たちは、生産した生産物の約四〇%を無償で、義務納入分およびMTCへの支払いの上乗せ分として、国家に奪いとられたのである。これが、この国家によるコルホーズの農民たちからの剰余労働の収奪の形態である。

膨大な穀物を手に入れたこの国家は、取引税を上乗せした高い国家販売価格でこの穀物を労働者たちに売って大量のルーブル表示の擬制的貨幣を獲得したのであり、獲得した国家財政収入としての擬制的貨幣を、軍事費や労働者・農民の支配費やそして生産の拡大費に当てた残りの部分を、労働の量と質に応じての分配という理由づけのもとに、スターリン主義官僚ども（国家＝党官僚や企業経営官僚）のあいだで山分けしたのである。

これが、スターリン型の国家計画経済なのである。コルホーズは、マルクスやエンゲルスが構想した集団農場とは似ても似つかないものなのである。それは、社会主義的なものをめざしたうえでの歪んだものなのでは決してない。

一九三〇年代を「生産諸手段の国家的および集団的の所有形態が形式上確立された時代」というように見たのでは、スターリンが指令して官僚どもが実行したところのものを美化してしまうことになる、と私は考える。

ソ連の崩壊という事態に直面して、黒田が得体のしれない喪失感をもった一つの根拠は、スターリンの時代へのこのような見方がある、と私は考えるのである。

二〇二三年二月二一日

〔12〕 言語には階級性はないのか

私は、黒田寛一が「生産諸手段の集団的所有形態」（『現代における平和と革命』「改版　あとがき」二八七頁）と書いていることをとりあげ、この「集団的所有形態」という用語は、スターリンが農民からの収奪を強化するためにつくりだしたコルホーズという形態を正当化するためのスターリン主義者の用語である、その用語を黒田はそのまま踏襲している、というように問題にした。

このようなことを問題として考察することをとおして、概念がそれによって表示されるところの言語体には党派性が刻印される、ということを、私はあらためて考えた。そして、これと同様に、言語体には階級性が刻印される、ということを考えた。

「プロレタリアート独裁」という言語体（言葉）は、マルクスがつくりだしたものなのであり、マルクスの、したがってマルクス主義の独自の概念を表示するものなのである。また、マルクスの言う「疎外」とヘーゲルの言う「疎外」とでは、その言語体（言葉）の音声表現および文字表現は同じなのであるが、明らかに異なる概念を表示するのである。前者の概念は、後者の概念を唯物論的に転倒したものなのである。

一般的に言うならば、プロレタリアートの特殊的諸利害を体現する言語体および言語は、支配階級たるブルジョアジーが「一般的」なものとして社会全体に妥当させ通用させた・彼らの特殊的諸利害を体現する言語体および言語を、それが表示する概念の内容を唯物論的に転倒するというかたちで換骨奪胎したうえで、うけつぐものである。まさにこのようなものとして、前者は後者とは明らかに異なるのである。言語体および言語には階級性が刻印されるのである。

このように考えるならば、晩年の黒田寛一が『実践と場所』全三巻で書いている、言語体および言語にかんする論述は、その対象を、超階級的なものとして、歴史貫通的なものとして捉えたものだ、と私は断定する以外にないのである。それは、言語体および言語の無階級性論なのであり、そのような論は誤りである、と私は考える。

思い起こされてくるのは次のような展開である。

「実践の社会的場所に現成的に既在する社会的諸規範を、言語的諸規範をふくめてのそれを、日常生活の行為的経験と実践的体験をつうじて体得することのゆえに、個別的意識は同時に規範意識となり、言語的表現についての社会的約束ごとの経験的習得にもとづいて共通的価値意識として形成されるのである。」(『実践と場所　第三巻』三三三頁)

「実践の社会的場所に現成的に既在する社会的諸規範を、言語的諸規範をふくめてのそれを、……体得する」とか、「言語的表現についての社会的約束ごとの経験的習得」とかということを説くのでは、プロレタリアにも、ブルジョアジーが社会全体に妥当させ通用させた言語的諸規範を体得することを勧めるだけであって、プロレタリアが、マルクス主義の概念を表示する言語体を体得する、という問題は、無視抹殺されてしまうのである。

ここで説かれていることを実践するのでは、プロレタリアは日本人らしい日本人となるだけであって、プロレタリアとしての階級意識を獲得することは決してできないのである。

『社会観の探求』の「理論社版あとがき」（一九五六年）に「通説」および「支配的な見解」として、すなわちスターリンおよびスターリン主義者の見解として、二一個列挙されているものを見ると、「言語」という表現がでてくるものは、「(七)「生産力や生産手段や技術は、言語と同様に、階級性とは無関係である。」」（『社会の弁証法』こぶし書房版、一八頁）と、「(一四)「文学は、階級性とは無関係な言語と関係があるので、上部構造ではない。」」（同前、一九頁）との二つがあったが、言語そのものを論じているものはなかった。

若き黒田寛一が、言語の階級性についてどのように探求していたのかということについては、私は考察しえていない。

二〇二三年二月二三日

〔13〕　レーニンのＮＥＰ（新経済政策）を「資本主義化政策」と捉えてよいのか

何十年とソ連論を追求してきた晩年の黒田寛一が、「ＮＥＰ期の資本主義化政策」と書いていることに見られるように、レーニンが提起してソビエト政府が実施したＮＥＰ（新経済政策）を「資本主義化政策」というように捉えていたことが問題となる、と私は考える。

黒田は、『現代における平和と革命』の「改版　あとがき」のなかで、「生産諸手段の国家的および集団的の所有形態が形式上確立された時代」ということを、すなわち、NEP期と当該の「時代」とを区別しなければならない、ということを、書いたあとに次のように展開している。

「たしかに、ソ連邦においては「価格」表示にもとづいて、官僚主義的国家計画経済のための経済計算がなされるのであるが、この「価格」表示は資本制経済のもとでの価格とは明白に区別されるべきである。この表示は、労働者国家が設定する擬制的価格の疎外形態としてとらえられなければならない。なぜ疎外形態であると規定するのかといえば、ソ連邦における「価格」は経験主義的に定められているにすぎず、時間を尺度にして決定されているのではないからである。とはいえ、もちろん、「労働の質」を時間によって換算した量が「経済的時間」とか「社会的時間」とか呼ばれてきた。けれども、この通説は誤っている。

このようなソ連式「価格」表示のまやかしについて考察しないままに、NEP期の資本主義化政策と、スターリン時代の重工業化政策の手段として用いられてきた「価格」およびこれにもとづく国家計画経済政策とを、素朴に二重うつしにし、そうすることにより「国家による資本主義化」などという規定ならぬ規定がなされたのであった。簡単にいえば、ソ連式「価格」を根幹にした官僚主義的国家計画経済をば、スターリン主義的「資本主義化」政策というように没理論的かつ政治的にラベリングしたにすぎないということである。」（二八七〜二八八頁）

たしかに、レーニンはNEPを「資本主義化政策」というように捉えたのである。これは誤りである、と私は考える。戦時共産主義政策の誤謬を是正し、共産主義社会（その第一段階と第二段階の両者をふくむ）

への過渡期社会の経済建設にもどしたのだ、と考えればよかったのである。ところが、レーニンとボルシェビキは、戦時共産主義政策の誤謬を反省せず、そうすることによって、NEPを「後退戦術」であり、「資本主義化するのだ」と捉えたのである。このことにもとづいて、やらなくてもよい・余計な・資本主義的なものまで導入し、ネップマンといったものをのさばらせてしまったのである。

このことの根拠は、彼らが、共産主義を、貨幣を廃止し・生産物と他の生産物との直接的な交換を実現することと考え、蘇ったミール＝農業共同体の一員としての農民が穀物を売買することを禁止したことにある。これを禁止するのではなく、擬制的価格にもとづき・擬制的貨幣を手段にして・工業製品と交換する、という方向にみちびいていけばよかったのである。或る種類の生産物を他の種類の生産物と直接的に交換するなどということは不可能なことである。そんなにうまく、農村の個々のミールと都市の個々の国有企業とのあいだで、それぞれに必要な生産物の種類と量が労働量として釣り合うなどということはありえない。このゆえに、権力を行使しての穀物の徴発が不可避になったのである。こうして、エスエル左派と農民の反乱がおこってしまった。

レーニンが提起したこと、すなわち、農民に現物税として穀物を国家に収めさせたうえで、残りの部分を自由に売買してよい、としたことは、擬制的価格にもとづいて交換を実現することとして意義をもっていたのである。ところが、レーニンとボルシェビキはそのことを自覚することができなかった。これが問題なのである。

スターリンがやったことについては、擬制的価格にもとづく交換を実現したのだが、その「価格」は擬制的価格の疎外形態であり、経験主義的に定められたものにすぎなかった、ということではなく、擬制的価格の疎外形態には違いはないが、農民からの穀物の国家買い付け価格についてはゼロに近いものとし、その穀物をふくむ消費物資の国家販売価格には高額の取引税を課す、というかたちで、農民と労働者から徹底的に収奪するのにふさわしい「価格」を目的意識的につけた、ということなのである。

スターリンにかんしては、こういうことをあばきだすとともに、戦時共産主義政策およびNEPの理論的解明と理論的基礎づけについてのレーニンとボルシェビキの誤りを徹底的にほりさげて反省していくことが必要である、と私は考えるのである。

二〇二三年二月二四日

編著者
松代秀樹（まつしろひでき）
著書 『「資本論」と現代資本主義』（こぶし書房）
『松崎明と黒田寛一、その挫折の深層」（プラズマ出版）など
桑名正雄（くわなまさお）
論文「マルクスの「となる」の論理をおのれのものとするために」
「ロシア・プーチン政権によるウクライナ軍事侵略をゆるすな！」など

ナショナリズムの超克
晩年の黒田寛一はどうなってしまったのか

2023年7月10日　初版第1刷発行

編著者　松代秀樹・桑名正雄
発行所　株式会社プラズマ出版
〒274-0825
千葉県船橋市前原西1-26-19マインツィンメル津田沼202号
TEL：047-409-3569
FAX：047-779-1686
e-mail：plasma.pb@outlook.jp
URL：https://plasmashuppan.webnode.jp/

ISBN978-4-910323-05-3　C0036

〜〜〜〜〜〜〜〜〜〜〜〜 既刊 〜〜〜〜〜〜〜〜〜〜〜〜〜〜